STEFANIA KORŻAWSKA

Odchudzanie bez odchudzania

Twoje zdrowie

Skład i łamanie: *Małgorzata Słońska*

Projekt okładki: *Robert Szubierajski*

Zdjęcie na okładce: *Michał Korżawski*

Ilustracje ziół: *Elżbieta Rączka*

Druk i oprawa: *Wydawnictwo Michalineum*

Wydawca: *CORSAM*

Wszystkie informacje zawarte w tej książce nie mogą zastąpić konsultacji uprawnionego lekarza.

Wydanie pierwsze

Warszawa 2010

ISBN 978-83-930637-0-3

Wydawnictwo CORSAM
Dystrybucja P.H.U. „STER”
Tel. (0-22) 632 14 21 w. 137

Odchudzanie bez odchudzania

WSTĘP

Odchudzanie bez odchudzania

Mieszkała w USA, miała świetną pracę, męża i dzieci. Rodzina w Polsce z dumą powtarzała, że szczęście mocno ukłoniło się przed nią. Aż do momentu, kiedy kontrolne badania wykryły złośliwego raka piersi. Przeszła długie, skomplikowane, drogie leczenie i znów miała szczęście, bo zwyciężyła chorobę. Jednak po trzech latach złośliwiec zaatakował drugą pierś. Wtedy wróciła do Polski, bowiem zrozumiała, że amerykańskie pożywienie absolutnie nie pasuje do jej delikatnego, słowiańskiego organizmu. Męczyła się już od dawna, najpierw pojawiły się problemy z układem trawiennym, później dokuczały wrzody żołądka, następnie migrena wykreślała z jej życia kilka dni w miesiącu, nadwaga sięgała kilkunastu kilogramów. I gdyby nie drugie podejście raka, pewnie żyłaby jak wielu innych, tabletki naprawiałyby jedno, niszczyły drugie. Któregoś dnia i one, choć mocne, przestałyby działać, wtedy mogłaby jeszcze liczyć na operację, a może przeszczep. Paradoksalnie rak wyrwał ją z tego błędnego koła choroby.

Matka jej – prosta, podlaska, spracowana kobieta po swojemu postanowiła odżywić córkę. Na stole znalazł się ozdrowieńczy rosół z koguta wiejskiego, kasza jaglana, gotowane warzywa, ziemniaki z olejem lnianym, jajka od kur radośnie biegających po podwórku. A do tego herbatka rumiankowa z aromatycznym chabrem, którego na polach podlaskich było jeszcze wtedy pod dostatkiem. Udało się, maleńki rak jak przyszedł skrycie, tak też w ten sam sposób odszedł. Zabrał też zbędne kilogramy.

Kobietę wraz z mężem spotkałam w sanatorium w Ciechocinku, zdrowi i szczęśliwi, od wielu lat mieszkali w Polsce. Ale pożywienia amerykańskiego nie zapomną nigdy, z idealnie dobranymi chemicznymi smakami wciągało jak narkotyk. Chciało się jeść i niekoniecznie po to, by zaspokoić głód. Zahipnotyzowany chemią mózg nie potrafił żołądkowi wydać właściwych poleceń. Jedzenie stawało się więc sensem samym w sobie aż do choroby i okrutnego cierpienia, które ich przywiodło do normalności.

Często zdarza się, że osoby przyzwyczajone do takich smaków nie mogą od razu znaleźć upodobania w delikatnych smakach natury – stąd na początku będzie ciężko. Potrzeba czasu, aby apetyt wrócił do normy, a żołądek i cały układ trawienny odpoczął od wszelkich nadużyć. Kiedy będą pomimo wszystko konsekwentnie wprowadzać zdrowe pożywienie, organizm pokocha dary natury.

Zdrowe zaś jedzenie to najwłaściwszy sposób na zdrowie, a jednocześnie odchudzanie bez odchudzania.

Stefania Korżawska

macierzanka

Organizm sam winien odchudzać

W książce „Odchudzanie bez odchudzania" nie podaję ani cudownych diet, ani cudownych eliksirów na odchudzanie, bowiem nie cud decyduje o odchudzaniu, tylko właściwa praca organizmu. Należy więc za pomocą zdrowego pożywienia i zdrowych herbatek ziołowych stworzyć mu takie warunki do jej wykonania, żeby sam zaczął odchudzać.

Budowanie więc zdrowia to najskuteczniejsza walka z otyłością.

Ręczne zaś sterowanie odchudzaniem, które polega na zbiciu tkanki tłuszczowej za pomocą środków farmakologicznych, drastycznych diet i silnych herbatek ziołowych kończy się najczęściej zaburzeniem funkcji życiowych organizmu, efektem jojo i rozgoryczeniem odchudzającego.

Stefania Korżawska

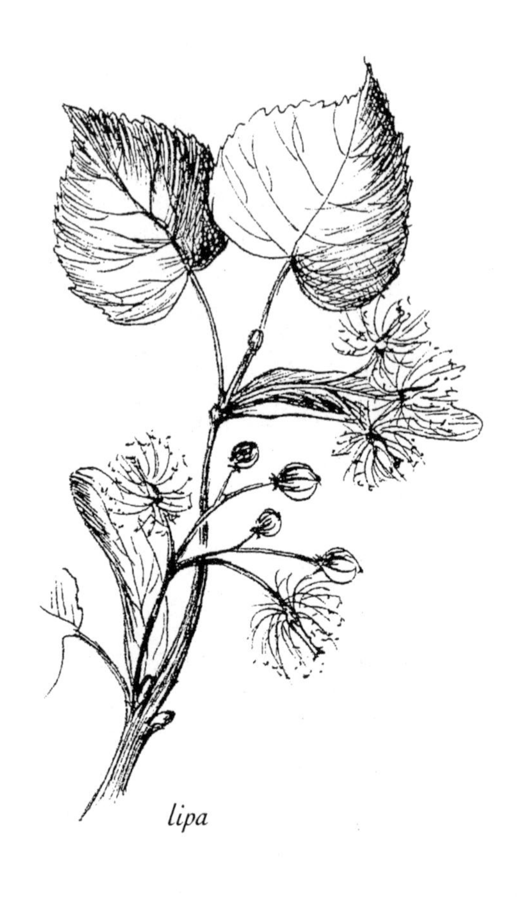

lipa

Ciało nasze żyje i odnawia się dokładnie w ten sam sposób co przyroda, byle mu tylko nie przeszkadzać.

Stefania Korżawska

NIE PRZESZKADZAĆ ORGANIZMOWI W ODCHUDZANIU

Zasady – drogowskazy odchudzania

Problem, który wyrasta na naszej drodze, wymaga zawsze zatrzymania się, wyciszenia, by można było wypracować najwłaściwsze i najbezpieczniejsze jego rozwiązanie. Z natury jednak jesteśmy niecierpliwi i wygodni, w biegu więc szukamy łatwej drogi wyjścia z trudnej sytuacji. Najprostsze są reklamy, bo w nich wszystko jest kolorowe, proste i przyjemne. Odchudzanie według nich też jest i przyjemne, i szybkie, i bez żadnego wysiłku. Jednak w życiu niekoniecznie wszystko jest takie proste. Jeśli przez wiele lat budowaliśmy nadwagę, niestety nie pozbędziemy się jej z dnia na dzień. Nie ma takiej fizycznej możliwości. Tylko lekarz przy pomocy nowoczesnego sprzętu może kurację przyspieszyć – odessać tłuszcz lub przeprowadzić stosowną operację. Natomiast ani zioła, ani najcudowniejsze diety od razu nie uczynią cudu i nie oczekujmy na taki cud, bo cudowne rozwiązanie może okazać się wielce niebezpieczne dla naszego zdrowia.

Odchudzanie więc powinno być przemyślane i zdrowe. Pierwszy krok to wyciszenie myśli, bowiem umysł chaotyczny nie poradzi sobie z utrzymaniem dyscypliny, którą musimy przestrzegać. Odchudzanie bowiem to zmiana trybu życia, często filozofii życia, a na pewno radykalna zmiana przyzwyczajeń żywieniowych. Zatem, jeśli pragniemy mieć zgrabną sylwetkę, a do tego myślimy poważnie na temat zdrowia własnego organizmu, powinniśmy wprowadzić w życie odpowiednie zasady – drogowskazy, które poprowadzą nas bezpieczną drogą.

Niech głowa pomyśli, co żołądek wykona

Niektórzy żartobliwie mówią, że żołądek to drugi mózg. Niekiedy nawet wydaje się, że żołądek przejmuje pracę mózgu i sam zaczyna decydować, zarządzać, więc pojawiają się wygodne teorie, że co nam smakuje albo czego domaga się nasz żołądek oznacza, że to jest potrzebne organizmowi do wykonania procesów życiowych. Z pewnością tak było wtedy, gdy człowiek żył w zgodzie z prawami natury. Niestety mądre prawa natury odrzuciliśmy, by zastąpić je zgiełkiem i chaosem cywilizacyjnym. Liczne, wykluczające się naukowe teorie dotyczące sposobu odżywiania zaczęły bombardować nasze umysły. A cudowne diety – wynalazki sprawiają, że odchudzający nieco schudną, lecz w ciągu krótkiego czasu nadrobią to z nawiązką. Efekt jojo. I znów od początku, więc nie dziwię się, że niektórzy zrezygnowani zmuszeni są zaakceptować swoją puszystość. Dlatego mądre zasady – drogowskazy muszą być.

Dokąd więc głowa nie pomyśli, co żołądek ma wykonać, nie będzie mądrego odchudzania. Wprowadzimy tylko chaos, zaburzymy prawidłowy przepływ życiodajnej energii, powoli będziemy całkiem nieświadomie przyczyniali się do wyniszczenia własnego organizmu. Przede wszystkim więc należy założyć sobie odpowiedni gorset i wytrwać w nim.
Być może będzie on nieco dokuczliwy, ale dzięki niemu nie stracimy równowagi, bowiem utrzyma on w ścisłych ryzach umysł, a ten z kolei będzie mądrym władcą niepokornego żołądka.

Odżywianie na co dzień i od święta

Nie jestem lekarzem, nie znam się na chorobach, ale doskonale wiem, w jaki sposób budować zdrowie za pomocą zdrowego odżywiania i służących zdrowiu herbatek ziołowych. Wiedza moja wynika z wielowiekowej mądrości naszego narodu. Mądrość ta przede wszystkim opierała się na dwóch fundamentalnych zasadach. Pierwsza zasada to żyć i odżywiać się według warunków klimatycznych, a więc od jesieni do wiosny, gdy jest zimno należy spożywać więcej jedzenia ciepłego, gotowanego, zaś wiosną i latem można pozwolić sobie na rozsądne wychładzanie organizmu. Druga zaś złota zasada to pożywienie na co dzień i od święta. Często znawcy przedmiotu wypowiadają się na temat diety polskiej jako ciężkostrawnej i niezdrowej, której podstawą jest smażone mięso, bigosy, tłuste sosy i jeszcze tłuściejsze rosoły. Taka dieta obowiązywała tylko od święta. W czasie świąt religijnych, rodzinnych, na przyjęciach, balach rzeczywiście stoły uginały się od wykwintnego, acz niezdrowego pożywienia. Na co dzień nawet na królewskim stole takich smakołyków nie było. Jedzenie przygotowywano skromne, ale wartościowe dla organizmu. Pożywienie zaś biedniejszych warstw społecznych, chociażby chłopów było wręcz ubogie, jednak posiadało energię, która zapewniała im siłę do wykonywania ciężkich prac polowych.

Do takiego rozdziału pożywienia na świąteczne i na co dzień należy powrócić.
Ta mądra zasada będzie utrzymywała nasze ciało w doskonałej formie i fizycznej, i psychicznej.

I skończy się problem z odchudzaniem, bowiem mądre, zdrowe pożywienie to najwłaściwsze odchudzanie.

A przy okazji nie będzie dzieci przekarmionych, a także dzieci niejadków, które mają dość odświętnego pożywienia na co dzień.

Poprawić pracę wątroby

Wiedza zdobyta w hermetycznie zamkniętych laboratoriach naukowych, niewiele ma wspólnego z mądrością życiową i tym bardziej z mądrością organizmu. Naukowcy bowiem badają życie w oderwaniu od życia. I to co słuszne wydaje się w laboratorium, w wielu przypadkach w zetknięciu z normalnym życiem przegrywa. Dotyczy to zarówno karmienia naszej ziemi sztucznymi nawozami, stosowanie chemii w zwalczaniu pasożytów, jak i odżywianiu naszego ciała. Nauka bada bardzo skrupulatnie, ile np. w pożywieniu znajduje się witamin, mikroelementów, i im wyższe jest stężenie tych odżywczych substancji, tym uważa się, że produkt zdrowszy. Stąd od wielu lat najzdrowsze jedzenie to zimne, surowe, nieprzetworzone. Ale w życiu jest różnie. Co dla jednych będzie zdrowe, dla innych może okazać się bardzo szkodliwe.

Organizm bowiem to nie probówka laboratoryjna działająca według określonych parametrów. W nim wszystkie parametry są zmienne. Jeśli jest silny, wtedy wiedza laboratoryjna znajdzie swe potwierdzenie. A jeśli słaby, silnie wychłodzony? – wtedy należy wrócić do mądrości życiowej. Ta zaś nakazuje, by organizmowi dostarczyć takie pożywienie, jakie jest w stanie przyjąć.

Dlatego chleb razowy, kaszę gryczaną, mleko, surowe warzywa i owoce, mięso smażone, wędliny zostawmy organizmom zdrowym i silnym, słabi zaś, a także ci, którzy mają skłonności do tycia, niech powoli, ale systematycznie pożywieniem delikatnym usprawniają i przywracają do życia nadwerężone organizmy.

Przede wszystkim więc należy poprawić pracę wątroby. Jeśli podejmie właściwą pracę, skończy się mozolnie liczenie kalorii, bowiem jako główne laboratorium przejmie kontrolę nad tłuszczami w organizmie.

Brak ruchu przyczyną otyłości

Jedną z przyczyn otyłości niewątpliwie jest brak ruchu.
Życie to ruch, porusza się cała przyroda, nawet drzewa i rośliny, które stoją w miejscu poruszają gałązkami, przechylają listki,

kwiatki ustawiają do słońca. W ciągłym ruchu dzieje się życie na ziemi. I człowiek ma dwie nogi, a więc natura wyposażyła go we własny, bezpłatny transport. Od wieków ludzie korzystali z tego dobrodziejstwa, pieszą przemierzali często ogromne przestrzenie. Ciężka praca fizyczna na świeżym powietrzu, a do tego proste, skromne pożywienie czyniło ciało krzepkim, zdrowym i szczupłym.

Cywilizacja zafundowała nam wygodne życie, samochody, samoloty, stąd poruszamy się niewiele, w pracy całymi godzinami pracujemy w klimatyzowanych pomieszczeniach bez dostępu świeżego powietrza i przy sztucznym oświetleniu, często bez żadnego ruchu. A gdy się nie poruszamy, krążenie jest coraz słabsze, krew nie dożywia właściwie poszczególnych części ciała, stąd nie tylko mamy problemy z kręgosłupem, stawem biodrowym czy kolanem czy słabą koncentracją z powodu niedotlenionego mózgu, ale także wolniej pracuje układ trawienny i główne laboratorium wątroba. Nic więc dziwnego, że tyjemy, dlatego należy wykorzystać każdą okazję do poruszania się, do rozruszania i ciała, i ducha.

Zapewnić organizmowi komfort do pracy

Pamiętam pewnego pana, który ze łzami w oczach opowiadał o swoich doświadczeniach z odchudzaniem. Przez dwa miesiące nie spożywał żadnego pożywienia, a pomimo to nie schudł ani jednego kilograma. W tym czasie popijał przeważnie niegazowaną wodę mineralną, ale gdy głód dokuczał mu bardzo sięgał po soki i oranżadę. W tym odchudzaniu były popełnione dwa błędy. Po pierwsze brak ciepłego pożywienia, które by rozgrzało układ trawienny i poprawiło tym samym pracę wątroby, a po drugie popijanie słodkich napojów. Mocno wychłodzona, rozleniwiona, a do tego przepełniona wątroba niewiele potrzebowała do podtrzymania procesów życiowych. Wystarczyła odrobina cukru. Normalnie pracująca wątroba winna w przypadku braku pożywienia z zewnątrz, korzystać z odłożonych zapasów, między innymi w pierwszej kolejności sięgnęłaby po rezerwy tłuszczowe. Dlatego należy mądrze popatrzeć na swój organizm i uczciwie przeanalizować wszystkie wykroczenia, które popełniliśmy względem niego. Rozsądna pomoc, którą udzielimy własnemu ciału zadecyduje czy wrócimy do właściwej wagi, czy też przez całe życie będziemy nieszczęśliwi z powodu nadwagi.

I nie warto niczego robić na siłę, nie wolno też stosować na okrągło okrutnych diet, a tym samym upokarzać własnego organizmu, bowiem po pewnym czasie obróci się przeciwko nam. Po prostu pozwólmy mu pracować, zapewniając komfort do pracy, czyli zdrowe odżywianie, zdrowe herbatki ziołowe, zdrowe myślenie, ruch na świeżym powietrzu. Jeśli tylko zapewnimy mu taki komfort, mądrość organizmu zacznie sama działać.

Każdy będzie szedł więc właściwą mu drogą i właściwym dla siebie tempem. Ważne jednak, żeby szedł.

Gdy głód dokucza ...

Gdy organizm sygnalizuje uczucie głodu, to świadczy o tym, że prawidłowo funkcjonuje, czyli informuje nas o tym, że nie dostarczyliśmy mu pożywienia, a więc nie ma odpowiednich składników do wykonania procesów życiowych. I to jest normalne i naturalne.
Ale zdarza się, że dostarczyliśmy organizmowi pokarm, a on nadal domaga się następnego. I to już nie jest normalne. Może być kilka przyczyn takiego stanu.

Organizm wychłodzony

Przyszła moda na gołe brzuszki – latem mogą być gołe, lecz od jesieni do późnej wiosny taki strój przyniesie chorobę. Wychłodzą się nerki, a chore nerki to chory organizm, bowiem one nie tylko filtrują krew, ale także mają niezwykle ważne zadanie życiowe.

Lewa nerka musi czuwać, by organizm się zanadto nie przegrzał. Jeśli organizm informuje, że jest mu za gorąco, wtedy przystępuje ona do jego wychładzania, odświeżania. Szczególnie w czasie upałów nerka lewa musi wykonać bardzo pożyteczną pracę, ale nie tylko. W momencie stresu, gniewu, kiedy organizm podwyższa temperaturę, rozgrzana do czerwoności wątroba natychmiast przesyła wiadomość do lewej nerki o pomoc.

Zaś prawa nerka rozgrzewa organizm do takiej temperatury, która zapewni prawidłowe funkcjonowanie wszystkim procesom życiowym.
Gdy jest zimno, a my nie ubierzemy się odpowiednio, wtedy wilgoć, mróz czy wiatr zaczynają wnikać do naszego wnętrza. Wówczas prawa nerka wytwarza ciepło, by organizm mógł właściwie pracować. Jednakże ciągła, wytężona praca osłabi ją, a wtedy organizm zostanie pozbawiony ochrony cieplnej. Będzie więc wychłodzony i niewydolny – osłabi się także żołądek, nie będzie miał siły do trawienia. Otrzymany pokarm przesunie dalej. Organizm jednak upomni się o wartości odżywcze do wykonywania procesów życiowych i sygnalizuje głodem. Dostarczamy wtedy kolejną porcję pożywienia, które też nie będzie odpowiednio wykorzystywane przez organizm, jest odkładane, blokuje więc prawidłowy przepływy energii, powstają kolejne choroby, także otyłość.

Stąd właściwe ubieranie, gdy jest zimno, odgrywa ogromną rolę. Zresztą w Polsce nigdy nikt się tak beztrosko nie ubierał jak obecnie. Choć klimat się ocieplił, to jednak musimy pamiętać, że od jesieni do wiosny należy zadbać o taki strój, by stanowił skuteczną ochronę przed zimnem i wilgocią z zewnątrz.

Spożywanie zimnego, surowego pożywienia

Żyjemy w klimacie chłodnym – mamy nieco ciepłego lata, a później chłodna jesień, zima i znów chłodna wiosna. Dlatego Polacy spożywali więcej jedzenia ciepłego, gotowanego – gotowane było śniadanie, obiad i kolacja. Surowych owoców i warzyw jedli niewiele. Latem owoce sezonowe, a zimą nieco jabłek, przede wszystkim zaś kapusta i ogórki kiszone.

Cywilizacja zachodnia wpadła w histerię witaminową, a więc surówki i jak najwięcej owoców, również cytrusowych. Niestety surowizny niszczą wątrobę, żołądek, wychładzają jelito, a w konsekwencji będą kolejne choroby cywilizacyjne.
Należy zdawać sobie sprawę, że proces trawienia jest skomplikowany, bowiem następuje przetworzenie pożywienia w energię, która konieczna jest organizmowi do życia. Proces ten wymaga odpowiedniej temperatury. W związku z tym, gdy żołądek otrzyma ciepłe, gotowane pożywienie, wtedy sprawnie trawienie będzie przebiegało. Gdy zaś żołądek otrzyma pożywienie zimne, ciężkostrawne musi najpierw zużyć własną energię do jego podgrzania.
Proces więc trawienia będzie wtedy długotrwały, niewłaściwy, a w konsekwencji zaburzona praca całego organizmu.

Przedwojenni medycy uważali, że pokarm gotowany jest delikatniejszy, bowiem w trakcie gotowania poszczególne składniki przenikają się wzajemnie, tworząc substancję bardziej udoskonaloną, tym samym bardziej pożyteczną dla organizmu.

Zresztą zwykli ludzie często dostrzegają różnicę między surowym a gotowanym. Surowe jabłko jest dla niektórych zbyt ciężkostrawne, nic dziwnego, bowiem silnie wychładza wątrobę. Ale to samo jabłko upieczone staje się lekkostrawne - wspaniale rozgrzewa wątrobę, doskonale oczyszcza jelita, stąd wielu poznało jego dobroczynne działanie chociażby przy zaparciach.

Moda na owoce tropikalne

Jeśli od czasu do czasu zjemy pomarańczę czy banana szkody dla organizmu nie uczynimy. Ale jeśli spożywamy codziennie i w dużych ilościach, to już będzie duży problem dla organizmu, a szczególnie słabego, chorego, wychłodzonego, któremu brakuje energii do życia. Od owoców się nie tyje, to prawda, ale one pośrednio przyczynią się do nadwagi, ponieważ niebezpiecznie wychłodzą organizm, a wtedy niewydolna wątroba nie poradzi sobie z tłuszczykami.

Owoce tropikalne rosną tam, gdzie słońce przekazuje człowiekowi silną energię. Żar słońca w tym klimacie wręcz przegrzewa organizm, więc dla równowagi natura dała silnie wychładzające owoce. Dla tamtych ludzi spożywanie takich owoców to konieczność, żeby przeżyć upał, zaś dla ludzi żyjących w zimnym klimacie, to groźne wychłodzenie i tak już wychłodzonego organizmu.

Surowe soki niekoniecznie zdrowe

Nasze babcie i prababcie wiedziały, w jaki sposób przenieść promienie słoneczne do domu, a co najważniejsze jak je przechować do następnego lata. Z owoców przygotowywały różne przetwory na zimę, a przede wszystkim w każdej spiżarni stały wartościowe

soki nasączone słoneczną energią. Takie soki dostarczały organizmom cenne witaminy i mikroelementy, ale także rozgrzewały i wzmacniały letnim słońcem.
Nowocześni ludzie zapędzeni, całkowicie oderwani od natury, kupują surowe, przetworzone soki w sklepach. Zimne, surowe wychładzają organizm, nic dziwnego, że staje się coraz bardziej niewydolny i nie radzi sobie z wykonywaniem procesów życiowych, stąd liczne choroby i problemy z nadwagą.

Kefiry – na pewno zdrowe, ale dla kogo i kiedy?

Zachwycamy się kefirami, jogurtami – wielu naukowców donosi wręcz o ich cudownym działaniu. Na pewno są zdrowe, ale... dla kogo i kiedy?
Dawniej zsiadłe mleko piło się tylko latem, bowiem takie mleko rewelacyjnie ochładzało i orzeźwiało organizm. I prawidłowo. Obecnie poleca się wszystkim i codziennie, nie bacząc na to czy organizm rozgrzany, czy wychłodzony, czy silny, czy słaby. Organizm rozgrzany podziękuje za kefir, wychłodzony będzie złorzeczył, bo otrzyma dodatkowe zimno i wilgoć.
Organizm silny nawet zimą poradzi sobie z kefirem, zaś słaby, chory nie przyjmie tego produktu – dla niego będzie i zbyt zimny, i zbyt ciężkostrawny. Z pewnością więc kefiry i jogurty odchudzaniu nie będą służyły.

Ciepłe śniadanie, a energia na długo w organizmie zostanie

Taka była mądrość naszego narodu. Często i teraz spotykam ludzi, którzy uważają, że śniadanie bez rozgrzewającej zupy to stracony dzień. Pewnie tak jest, bowiem energetyczne śniadanie rozgrzeje organizm, czego bezwzględnie wymaga chłodny klimat, ale także doda siły i energii do pracy. I nie potrzebna będzie kolejna mocna herbata, kawa czy coraz modniejsze napoje energetyzujące, wreszcie narkotyki. Organizm właściwie odżywiony powinien być silny i zdrowy, i bez chronicznego zmęczenia.

Natomiast nowoczesne śniadania w postaci surowych soków, owoców, wody mineralnej czy nawet niezwykle popularnych jogurtów doprowadziły do tego, że coraz więcej dzieci rodzi się z alergiami, chroniczne zmęczenie stało się normalnością, więc potrzebne są odpowiednie używki, by wycieńczony organizm zmusić do pracy. Te zaś nie są obojętne dla naszego zdrowia, więc w konsekwencji musimy leczyć chory układ trawienny, poprawiać pracę serca i układu krążenia, walczyć z bezsennością, wzmacniać nerwy.

Poruszając się w tym zwariowanym, błędnym kole nawet nie pomyślimy, że można inaczej – odcięliśmy się od mądrości przodków, którzy żyli według mądrych praw natury, a ślepo zawierzyliśmy nowoczesności wiernie stojącej na straży prawa biznesowego. I bez cennych drogowskazów naszych dziadów i pradziadów coraz częściej gubimy się w rozkrzyczanej rzeczywistości.

Przyzwyczajenie do ciągłego podjadania

Znałam kobietę, która ciągle się odchudzała i niestety zamiast chudnąć, przybierała na wadze. Jej sekret to podjadanie, więc właściwe pożywienie było niepotrzebne. Swoją tajemnicą zadziwiała nie tylko rodzinę.

Kto lubi podjadać, niech podjada, ale pożywienie lekkostrawne – w kuchni na szafce winny stać gotowane ziemniaki, marchewka. Zbyt dużo tego nie zje, wszak do podjadania najwdzięczniejsze są słodycze. Należy więc organizm nieco przechytrzyć – apetyt szybko odejdzie. Gdyby zaś głód mocno dokuczał, warto sięgnąć po gotowane jajko (koniecznie wiejskie) na twardo. Zjeść powoli bez chleba, popić herbatką ziołową. Jajko jak czekolada szybko uzupełni brakującą energię, ma ogromną wartość odżywczą, a do tego zawiera lecytynę i cholinę, dzięki którym wątroba szybciej rozprawi się z tłuszczami. Od jajka więc nie przytyjemy, byle by go nie łączyć z chlebem i cukrem.

Głód utajony

Dużo ludzi kupuje coraz bardziej wymyślne produkty spożywcze, a pomimo to ich organizmy są niedożywione, osłabione. Wtedy mamy do czynienia z głodem utajonym. To zjawisko jest dużym problemem ostatnich czasów – w sklepach pojawiło się jedzenie przerobione, przetworzone z niebezpiecznymi chemicznymi dodatkami, które są obciążającym balastem dla naszego organizmu.

Poza tym organizm otrzymuje pożywienie mało wartościowe, np. słodycze, chipsy, fast foody – pożywienie takie na chwilę zagłuszy głód, wypełni żołądek, ale organizm nie ma wartości do wykonania procesów życiowych, stąd upomina się o następne jedzenie, więc sięgamy po kolejne, znów bezwartościowe, nic dziwnego, że rośniemy w kolejne kilogramy.

Energia życiowa

Następna bardzo ważna sprawa, którą niestety medycyna zachodnia całkowicie zignorowała, to energia życiowa. Stanowi ona podstawę wszystkich procesów w naszym organizmie. Czerpiemy ją w dużej mierze z pożywienia. Należy więc odrzucić produkty pozbawione energii – zamrożone, konserwowane, pochodzące z silnie skażonego środowiska. Ale to nie wszystko. Na naszym rynku jest wiele żywności zagranicznej, do jej utrwalania wykorzystuje się zaś promieniowanie jonizujące. Taka żywność co prawda zachowuje mikroelementy i witaminy, ale energetycznie jest martwa. Martwe pożywienie pochodzi również z mikrofalówek.

Dla organizmu takie pożywienie stwarza duży problem, bowiem musi na jego strawienie zużyć własną energię, a niestety nowej, życiodajnej energii od martwego jedzenia nie otrzyma.

Nic więc dziwnego, że organizm domaga się kolejnego pożywienia, które zapewni mu życiodajną energię. I znów kolejnego, a coraz bardziej niewydolna wątroba nijak nie może poradzić sobie z tłuszczami.

Zimą zawsze przytyję

Nic w tym dziwnego, bowiem jesienią organizm zaczyna przygotowywać się do zimy. Zresztą cała przyroda przygotowuje się do tej pory roku. Drzewa gubią liście, większość soków schodzi do korzeni, rośliny, które nie tak dawno tak ślicznie kwitły, stoją teraz martwe, zasuszone, niektóre zwierzęta intensywnie przygotowują się o zimowego snu, inne przygotowują odpowiednie zapasy. Gdy ludzie żyli w zgodzie z naturą, wszystko miało określoną logikę.
Zjedli trochę więcej jesienią i zimą, to też dobrze, bowiem warstwa tłuszczyku skutecznie chroniła organizm przed zimowym wychłodzeniem. W ten sposób naturalnie sam organizm się bronił. Wiosną organizm oczyścili, bowiem pościli uczciwie i na Święta Wielkanocne o kilka kilogramów każdy był lżejszy.

I wszystko odbywało się zgodnie z prawami natury i bez żadnego lęku, bowiem przytyli tylko na jesienno – zimową porą, bardziej leniwą i bardziej im nieprzyjazną. Proszę więc podporządkować się mądrym prawom natury, a organizm sam będzie wiedział, co dla niego właściwe i najlepsze.

Przybrałem na wadze po ciężkich przeziębieniach

Często są to problemy z dzieciństwa. Małe dziecko mogło przejść bardzo ciężkie choroby, które mocno osłabiły organizm, mogły to być chociażby częste anginy. Za każdym razem angina była leczona antybiotykami, więc niby wyleczona, ale organizm coraz bardziej osłabiony. Wybitny polski uzdrowiciel ojciec Cz. Klimuszko powiedział, że po kuracji antybiotykowej organizm przynajmniej przez pół roku należy wzmacniać odpowiednimi herbatkami ziołowymi i rozgrzewającym, energetycznym pożywieniem. Antybiotyki wyniszczą w organizmie to co złe, ale niestety niszczą też to co dobre. Antybiotyk można porównać do ulewy, podleje co prawda spragnione wody roślinki, ale niektóre może poprzewracać, poniszczyć. Natomiast nowocześnie podaje się jeden antybiotyk po drugim i nawet nie pomyśli się, żeby organizm po takiej ostrej terapii przywrócić do zdrowia. Poza tym należy również pamiętać, że każde przeziębienie mocno wychładza nerki, czyli antybiotyk szybko rozprawi się z wirusami, ale już nerek nie jest w stanie ani wzmocnić, ani oczyścić. Kolejna choroba dalej osłabia nerki i tak było przez dłuższy czas. Organizm stawał się niewydolny, zimny, śluzotwórczy, wątroba więc coraz wolniej pracowała i nie radziła sobie z przetwarzaniem tłuszczy, które zaczęły się odkładać.

W takim przypadku należy wrócić do podstawy, organizm oczyścić z zanieczyszczeń, które latami kumulowały się w różnych miejscach i przede wszystkim rozgrzać energetycznym pożywieniem i rozgrzewającymi herbatkami ziołowymi. I trzeba to zrobić, bo niewydolny organizm będzie doskonałym miejscem dla różnych chorób, nie tylko otyłości.

Wagi należy pilnować

Wagi należy pilnować. Jeśli zdarzy się nam przytyć 2 – 3 kilogramy, chociażby po zimie, nie wolno ich lekceważyć, bowiem same się nie zdejmą. Przede wszystkim przeprowadzić przez kilka dni oczyszczenie organizmu i będzie po kłopocie, organizm szybko wróci do swojej wagi.

Jeśli zaś tego nie uczynimy, od tej chwili staniemy się zakładnikami własnego ciała, które będzie coraz bardziej i bardziej się rozrastało.

Kolejne lata to dodatkowe kilogramy. Gdy nadwaga sięga 30 – 40 kilogramów i staje się przyczyną coraz groźniejszych chorób, wtedy natychmiast pragniemy się odchudzić. 20 lat budowy ciała nie da się niestety odwrócić w ciągu tygodnia czy nawet miesiąca. W organizmie poczyniły się wielkie zmiany, często mocno otłuszczone są i tym samym osłabione poszczególne narządy, dlatego powoli, mądrze i cierpliwie bez żadnych niepotrzebnych, bolesnych wstrząsów organizm należy poprowadzić do zdrowia.

Gdy się stresuję, nie umiem opanować głodu

Dla organizmu stres nie jest normalnym zjawiskiem, dlatego bardzo silny, gwałtowny stres potrafi zablokować procesy życiowe, organizm przestawia się wtedy na awaryjne tory, potrafi najtrudniejszy czas przetrwać bez jedzenia, bez regenerującego snu.
Gdy stres jest przewlekły, organizm musi żyć, do tego na szybszych obrotach, bo mózg nie może nijak okiełznać rozbieganych myśli, stąd potrzebuje do wykonania pracy coraz więcej energii, więc prosi żołądek o jej przesłanie. Żołądek sygnalizuje o tym głodem, dlatego spożywamy kolejne pożywienie, niekoniecznie jednak takie, które by dodawało szybkiej i życiodajnej energii.

Dlatego w czasie stresu najwłaściwsze pożywienie to energetyczne. Uzupełni szybko braki energetyczne i nie będziemy zmuszani do ciągłego jedzenia.

Mam łaknienie na słodycze

Jeśli ktoś ma taki problem, może oznaczać, że spożywa niewłaściwe pożywienie. Śledziona do wykonania bardzo ważnych procesów życiowych potrzebuje cukru, jeśli organizm nie otrzyma właściwego pokarmu, z którego wydobędzie zdrowy, naturalny cukier, będzie upominał się o słodycze. Dlatego wystarczy przez jakiś czas spożywać pożywienie energetyczne, a szczególnie niezwykle cenny rosół z kaszą jaglaną, która jest cenną odżywką dla organizmu, łaknienie na słodycze zmniejszy się, a z czasem całkowicie ustąpi.

Inna przyczyna łaknienia na słodycze jest brak zdrowych tłuszczy w organizmie. Szczególnie ten problem dotyczy osób nagminnie się odchudzających, a także dzieci i młodzieży. Jeśli więc nie zabezpieczymy młodemu organizmowi, który po pierwsze rośnie i rozwija się, a po drugie wykonuje ciężką pracę umysłową, dobrego masła, jeśli nie znajdzie się w domu pachnący smalec, wtedy szybko niewydolne organizmy sięgną po słodycze, bo zawierają tłuszcze. Jednak tłuszcz z cukrem, a do tego różne składniki chemiczne, czyni je wybitnie niezdrowymi. Jednak organizm będzie się ich domagał, jeśli nie zapewnimy mu odpowiednich składników do pracy.

Podjadam w nocy

Im więcej będziemy spożywali pożywienia, tym bardziej będziemy osłabieni, i tym bardziej głodni. Gdy żołądek wykona swoją niezwykle ciężką pracę, jest przemęczony, stąd często następuje uczucie słabości i zmęczenia. Tym samym sygnalizuje nam, żebyśmy dali mu trochę odpoczynku na regenerację. Słabość jednak odbieramy jako zapotrzebowanie na jeszcze większą ilość pożywienia.

Podjadanie zaś w nocy wynika z tego, że wątroba wtedy zaczyna swoją ciężką, laboratoryjną pracę. Musi przeprowadzić tysiące jak nie miliony skomplikowanych procesów życiowych, by dostarczone pożywienie przetworzyć na życiodajne soki, które dokarmią każdą komórkę ciała. Jeśli jest niewydolna, a otrzymała pokarm ciężkostrawny, wybudzi nas ze snu i poprosi o kolejne pożywienie, by tym samym uzyskać siłę do wykonania trudnych zadań.

Ciągle się odchudzam, a moja siostra ma figurę nienaganną

Niektórzy skarżą się, że niewiele jedzą, a niestety ich waga ciągle jest taka sama. Inni zaś jedzą bez żadnych ograniczeń, a figury mają nienaganne. I gdzie jest sprawiedliwość? – pytają ci pierwsi. Sprawiedliwość jest w organizmie, bowiem silny sprawnie przetworzy pokarm, a krew doniesie go do każdej komórki, czyniąc zdrowie. Zaś organizm niewydolny pracę będzie wykonywał powoli, leniwie, stąd wiele wartościowego pożywienia odłoży w postaci chorobowych złogów i tłuszczy.

Nadwagę mam w genach

To bardzo wygodne stwierdzenie, bowiem zawiniła natura. Jesteśmy więc zwolnieni z obowiązku dbania o swój organizm. A tymczasem genetyczna nadwaga sygnalizuje, że nasi przodkowie mieli organizmy osłabione, być może mocno wychłodzone,

a do tego zanieczyszczone. Budulec więc na nowe ciało był już słaby, ale nie uszkodzony. Nie ma więc powodu do narzekania, tylko należy za pomocą właściwego pożywienia i zdrowych herbatek ziołowych zmienić tradycję rodzinną i skończyć z produkcją nadwagi. Jeśli nie będziemy dokładać nowych tłuszczy, ze starymi jakoś przeżyjemy, a być może, gdy organizm wzmocnimy, dodamy życiodajnej energii, wtedy przemiana materii będzie sprawniejsza, a więc nastąpi większa kontrola wątroby nad tłuszczami i po jakimś czasie waga zacznie spadać.
W takim przypadku należy bezwzględnie przejść na mądre, zdrowe odżywianie – bardzo mądre, bowiem każdy błąd to sukces nadwagi.

Mam cukrzycę, dlatego tyję

Cukrzyca to wynik niewłaściwego odżywiania, z tego również wynika problem z nadwagą. Należy więc przede wszystkim prawidłowo się odżywiać jak zresztą przy większości chorób cywilizacyjnych. Jeśli organizmowi nie będziemy przeszkadzali, sam będzie się powoli odnawiał. Nie przeszkadzać, czyli nie dokładać pożywienia, z którym nijak nie może sobie poradzić. Nie katować więc już dawno niewydolnego organizmu chlebem razowym, mlekiem, surówkami, smażonym mięsem. Dać mu takie jedzenie, które będzie mógł przyjąć i przerobić na zdrowe soki życiowe.

Przede wszystkim pilnować własnego żołądka, bo głowa musi być mądrzejsza od niego.

(Program zdrowotny dotyczący cukrzycy znajduje się w książce „Wytrwać w zdrowiu")

Gdy chudnę, robią mi się zmarszczki

Bardzo często, szczególnie panie, lękają się podjąć próby odchudzania z powodu zmarszczek. Mają bowiem błędne wyobrażenie, że gdy schudną, pojawią się zmarszczki. Jeśli zaczniemy zdrowo się odżywiać, w organizmie popłynie lepszej jakości krew i właściwie dożywi poszczególne narządy. Ta sama krew zadba również o skórę, która będzie pięknieała z tygodnia na tydzień. Po jakimś czasie znikną przebarwienia czy też inne zmiany skórne, które są wynikiem niewłaściwej pracy wątroby. Zmarszczki zaś w pewnym wieku, jeśli cera jest zdrowa, dodają uroku i wdzięku, wynikają więc z łaskawości i mądrości natury.

Herbatki wspomagające odchudzanie

Popijałam kruszynę, schudłam, ale ...

Młoda kobieta zwróciła się do mnie o pomoc, bowiem nie mogła poradzić sobie z chorobami. Wskakują na mnie – mówiła rozżalona – jak koza na pochyłe drzewo. Wszystko zaczęło się od odchudzania. Koleżanki podpowiedziały jej, że najskuteczniej odchudza kruszyna, więc herbatkę z kory kruszyny popijała zamiast zwykłej herbaty. Rzeczywiście chudła, ale po jakimś czasie organizm zareagował osłabieniem, pojawiły się problemy z układem pokarmowym, szczególnie zaś rozregulowana została praca jelit. Zaczęły pękać naczynia krwionośne, dokuczać żylaki. I tak z tygodnia na tydzień pojawiały się kolejne choroby. A wszystko zaczęło się od herbatki z kory kruszyny – dlaczego?

Są zioła mocarne, które mają energię ojca, są też zioła matki, które przekazują niezwykle życzliwą energię potrzebną organizmowi na co dzień do życia. Herbatkę z ziół mocarnych pijemy tylko wtedy, gdy organizm potrzebuje natychmiastowego wsparcia. Do takich ziół z pewnością należy kruszyna. Gdy w organizmie pojawią się zastoje materii, gdy trawienie jest zablokowane, herbatka z tego zioła udzieli szybkiej pomocy. Jednak dłuższe jej stosowanie obróci się przeciwko organizmowi, tak właśnie stało się w przypadku tej młodej kobiety. Wyniszczyła kosmki jelitowe, stąd wchłanianie pokarmu było niewłaściwe. Organizm stawał się coraz bardziej niedożywiony, osłabiony, a tym samym niewydolny, więc choroby znajdowały w nim bezpieczne schronienie.

Zioła mocarne są niezwykle pożyteczne, ale tylko w szczególnych przypadkach i na krótko.

Odchudzanie zaś silnymi ziołami może przynieść więcej szkody dla organizmu niż pożytku, dlatego też w moim programie odchudzania na pierwszym miejscu jest zdrowe pożywienie, od którego w głównej mierze zależy nasze zdrowie. Zioła zaś potraktujmy jako kwiatki do sukienki, ale najpierw należy mieć sukienkę. Będą wspomagały odchudzanie, poprawiały pracę układu pokarmowego, wątrobie użyczą odpowiednich składników do pracy, poprawią pracę ńerek, by sprawniej wydalały zanieczyszczenia z organizmu, rozgrzeją organizm, wzmocnią, odnowią krew.

Jednak bez zdrowego pożywienia same zioła nie są w stanie ani oczyścić organizmu, ani wzmocnić, ani rozprawić się z nadwagą, szczególnie taką, która była budowana od wielu lat.

Organizm pracuje swoim rytmem, dlatego wszelkie jego nierozsądne poganianie może zakończyć się katastrofą. Jest cząstką przyrody i podlega tak samo jak ona mądrym prawom natury, między innymi takim, że od zakwitnięcia do wydania dojrzałego owocu musi upłynąć określony czas. Jeśli tego czasu nie będziemy przestrzegali, możemy zjeść niedojrzały owoc, który zdrowiu służyć nie będzie.

Odchudzanie też musi mieć swój określony czas, czas organizmu, nie zaś czas nowoczesności, która coraz bardziej podpowiada rozwiązania szybkie, ale podstępne i ryzykowne.

Zaproszenie na herbatki ziołowe

Nie możemy lekceważyć darów natury, bowiem one posiadają wartości potrzebne nam do życia – zawierają także substancje lecznicze w najczystszej postaci.
Zioła zapewniają więc nam zdrowie i radość życia, a obcując z przyrodą stajemy się pogodniejsi, pewniejsi siebie, otwarci na otaczający świat.

Stoją one na pograniczu dwóch światów – fizycznego i duchowego, są więc swoistym łącznikiem, łączą bowiem to co ziemskie z tym co niebiańskie. Dlatego tak bezbłędnie leczą nasze ciała, ale też odżywiają ducha, dodając mu najczystszą i najzdrowszą energię.

Herbatki ziołowe, które podaję w tym rozdziale z powodzeniem mogą zastąpić zwykłą herbatę.

Są proste do przygotowania, wszak rano wystarczy wymieszane zioła wsypać do czajniczka z sitkiem i zalać wrzącą wodą. Kilka minut zaparzyć, a następnie nieco uzyskanego koncentratu wlać do szklanki i dopełnić gorącą wodą.

Nie polecam w czasie odchudzania mocnych wywarów czy mocnych naparów, bowiem zioła mają swoją moc. Często ludzie narzekają, że zioła szkodzą. One nie szkodzą, tylko nasze organizmy są tak zaniedbane, tak przepracowane i tak osłabione, że nie są w stanie przyjąć pełnowartościowego napoju ziołowego.
Dlatego rozcieńczone ziołowe herbatki są nie tylko smaczniejsze, ale także zdrowsze, bowiem lepiej przyjęte nawet przez najsłabszy organizm. Im bardziej organizmy są niewydolne, tym koncentraty mocniej należy rozcieńczać. Nie robić nic na siłę, żeby pokonać chorobę potrzebna jest mądrość, należy więc organizm obserwować, pomagać mu, nie przeszkadzać.

Zbyt ciężka paczka do niesienia

Słaby człowiek nie uniesie ciężkiej paczki. Gdyby w tej paczce znajdowały się diamenty, po pewnym czasie zmuszony będzie nawet takich kosztowności się pozbyć. Weźmie tylko tyle, ile da rady udźwignąć.
Tak samo jest z organizmem – silnemu, zdrowemu organizmowi nawet ciężkostrawne pożywienie i najmocniejsze wywary ziołowe nie zaszkodzą, a po szybkim przerobieniu przez układ tra-

wienny będą służyć zdrowiu. Ale osłabiony organizm, niewydolny nie przyjmie ani pożywienia ciężkostrawnego, ani mocnego wywaru ziołowego. Dlatego każdy indywidualnie musi wiedzieć, z jakiego punktu wychodzi i jakie tempo obrać, żeby dojść bezpiecznie do celu.

Zamiast zwykłej herbaty

Podaję kilka herbatek wspomagających odchudzanie, każda z nich organizm oczyszcza, wzmacnia, odżywia, czyli buduje zdrowie. Walka z nadwagą jest długa, można więc zmieniać herbatki i obserwować organizm, by wywnioskować, która będzie najskuteczniejsza dla niego. Jedną herbatkę możemy popić tydzień lub 2 tygodnie, a później można sięgnąć po inną. Herbatki, które podaję, są tak dobrane, żeby służyły na co dzień zamiast zwykłej herbaty. Nie są mocarzami, ale też w przypadku odchudzania nie ma po co mocarzy angażować. Tutaj więcej pożytku uczyni delikatne, zdrowe pożywienie i radosne, tętniące życiem ziołowe herbatki. Kurację radzę zacząć od herbatek rozgrzewających, bowiem tylko rozgrzany organizm zacznie właściwie pracować. Zimny zaś staje się niewydolny, nie ma więc siły do wykonania skomplikowanych procesów życiowych. I nijak nie poradzi sobie z nadwagą.

Herbatka, która rozprasza wilgoć w organizmie

Herbatka mistrzowska, bowiem perfekcyjnie działa na cały organizm. Można ją popijać przez długi czas, a nawet całe życie, ma przyjemny, oryginalny smak. Zdaje się, że działa na organizm nie siłą, lecz inteligencją, bowiem jest to połączenie łagodnego zefirku z południową mocą słońca, stąd herbatka ta delikatnie muska zdrowiem.

przepis:

majeranek	50 g
anyżek	50 g
koper włoski	50 g

Zioła wymieszać, kilka łyżek wsypać do czajniczka z sitkiem, zalać wrzącą wodą, zaparzyć pod przykryciem kilka minut. Uzyskany koncentrat rozcieńczać gorącą wodą i popijać delikatną herbatkę w ciągu dnia.

Majeranek czyni ciało ciepłym, w XVII wieku medycy zgodnie powtarzali, że majeranek to gorąca krew, koper włoski zaś odchudza, starogrecka jego nazwa brzmiała „marathon", co oznacza stawać się chudym. Anyżek pobudza piękne siły w organizmie i przekazuje dzięki temu moc do życia.

Herbatka słoneczna – macierzanka i babka

Ta herbatka pokona zimno w organizmie, nic w tym dziwnego, bowiem w jej skład wchodzi macierzanka, a tę nasi przodkowie nazwali kochanką słońca, wszak kocha słońce, chłonie promienie słoneczne całym swoim delikatnym ciałkiem. Jest drobniutka, ale mocna mocą słońca. Z babką lancetowatą lub szerokolistną tworzy doskonały duet – ona pełna optymizmu, uzdrawiająca radością, a babka nieugięta, silna jak „baba polska", o której mówi się, że gdzie diabeł nie może, tam ją wyśle. Bezpiecznie poprowadzą organizm do odchudzania.

przepis:

ziele macierzanki	50 g
liść babki lancetowatej lub szerokolistnej	50 g

Zioła wymieszać i herbatkę przygotować według wyżej podanego przepisu.

Rozmaryn i macierzanka – herbatka młodości

Tę herbatkę polecam rano zamiast kawy, bowiem rozmaryn to śliczny, wysportowany młodzieniec o błękitnych, wesołych oczach. Jego siła, jego żar życia sprawiają, że bez szczególnego wysiłku rozprawi się ze zmęczeniem i smutkiem. To zioło młodości, młodzieńcza energia, młodzieńczy zapał i młodzieńcza chęć do życia. Gdy zaś śliczny młodzieniec z macierzanką kochanką słońca przebiegną tanecznym, rytmicznym krokiem po organizmie, każdą komórkę pobudzą do życia, sercu przekażą swoisty luz, a myślom radość. I chce się żyć.

przepis:

ziele macierzanki 50 g
ziele rozmarynu 50 g

Zioła wymieszać, kilka łyżek wsypać do dzbanka z sitkiem, zalać wrzącą wodą, zaparzyć 15 minut.

Koper włoski i cykoria podróżnik – oszuka głód

Cykoria wędrowniczka – to urocza blondynka o modrych oczach, żądna przygód, ciekawa świata, dlatego uwielbia podróżowanie. Przyjemnie jest ją spotkać na wakacyjnym szlaku, przyjazna, słowiańska dusza dotrzyma towarzystwa. Nawet najbardziej strudzony w jej obecności odzyskuje siłę i chęć do dalszej wędrówki, zajmujące opowieści sprawiają, że myśli stają się pogodne, a radość zdrowym rytmem płynie po organizmie. Gdy zaś poczujemy głód, warto usiąść w jej cieniu, zerwać kilka błękitnych kwiatków, zjeść i po głodzie. Dlaczego? – bowiem otrzymamy od niej szybką energię, która nasyci organizm.

W czasie odchudzania polecam herbatkę z korzenia lub ziela cykorii w połączeniu z ziarenkami kopru włoskiego. Oszuka głód.

Najlepiej więc popijać ją ½ godziny przed jedzeniem. Żołądek wtedy zaciekawi się piękną parą – panną wędrowniczką i wysportowanym, urokliwym włoskim młodzieńcem.

przepis:

korzeń cykorii podróżnika 50 g
owoc kopru włoskiego 50 g

Zioła wymieszać, 3 łyżki ziół zalać 3 szklankami wody, zagotować, a następnie pod przykryciem zaparzyć 15 minut. Przecedzić, pić ciepłe przed posiłkami bardzo powoli, dokładnie przeżuwając każdy łyk napoju. W ten sposób nasycimy organizm porcją szybkiej energii, która pozwoli oszukać głód.

Znamię kukurydzy i perz – specjaliści od odchudzania

Znamię kukurydzy, inaczej wąsy kukurydzy, to niezwykle cenne zioło wspomagające odchudzanie. Najkorzystniej połączyć je z kłączem perzu. Wspólnie skutecznie pomogą organizmowi w redukcji tkanki tłuszczowej. Herbatkę z tych ziół warto popijać przez kilka tygodni, by w tym czasie dostarczyła przede wszystkim wątrobie substancji leczniczych odpowiadających za jej regenerację i oczyszczenie.

przepis:

znamię kukurydzy 50 g
kłącze perzu 50 g

Zioła wymieszać, 4 łyżki wsypać do garnka, wlać 5 szklanek wody, zagotować, a następnie na małym ogniu ogrzewać 3 – 4 minuty. Przecedzić, pić ciepłe najlepiej ½ godziny przed posiłkiem.

Czarny bez i rumianek – bezbłędnie rażą chorobę

Ani owoce czarnego bzu, ani rumianek nie mają właściwości odchudzających, a mimo to warto popijać herbatkę z tych ziół w czasie odchudzania. Rumianek bowiem to ziołowy odpowiednik człowieka odrodzenia – wszechstronny i do tego perfekcjonista. Działa skutecznie, razi chorobę bezbłędnie, przede wszystkim zaś poprawia trawienie. Zaś bez czarny to specjalista wysokiej klasy od ciepła, rozgrzewa skutecznie organizm, który dzięki temu sprawniej rozprawi się ze złogami i niepotrzebnymi tłuszczami.

przepis:

owoce bzu czarnego 50 g
kwiat rumianku 50 g

Zioła wymieszać, 5 łyżek wsypać do czajniczka z sitkiem, zalać wrzącą wodą, zaparzyć 15 minut. Herbatkę popijać w ciągu dnia, najlepiej rozcieńczać gorącą wodą.

Liście mniszka lekarskiego – w walce z nadwagą

Przy odchudzaniu bardzo pomocna jest herbatka z liści mniszka lekarskiego, czyli popularnego mleczu. Jest niezwykła w swoim działaniu, bowiem wzmacnia i oczyszcza zarówno wątrobę jak i nerki, czyli dwa najważniejsze narządy w organizmie. Warto nazbierać liści, najzdrowsze są kwietniowe, ale przez cały sezon można też zbierać, ususzyć, by nawet zapobiegawczo w ciągu roku od czasu do czasu popijać tak drogocenną herbatkę.

przepis:

garść liści mniszka starannie umyć i wsypać do garnka, wlać 4 szklanki wody, zagotować, ogrzewać na małym ogniu około 2 – 3 minut, przecedzić. Herbatkę popijać ciepłą w ciągu dnia zamiast zwykłej herbaty.

Niezwykle cenne jest również wino z kwiatów mniszka. Szczególnie ten eliksir zdrowia polecam kobietom, które nie tylko mają kłopoty z nadwagą czy złym trawieniem, ale także cierpią z powodu powtarzających się stanów zapalnych narządów rodnych. Ten ziołowe wino dodaje także siły i energii do życia, sprawia również, że cera będzie piękna i młoda.

przepis:

½ kg kwiatów, 2 kg nieoczyszczonego cukru, 4 litry wody i jedna porcja drożdży winnych. Nastawia się w ciemnym miejscu na kilka tygodni. Gdy kwiaty opadną na dno, wino zlewa się do butelek i przechowuje zawsze w ciemnym miejscu. Popijać 2 x dziennie mały kieliszek przed jedzeniem.

Mniszek, łopian – wymiatają złogi

Korzeń mniszka dzięki licznym składnikom odżywczym i leczniczym stwarza wątrobie lepsze możliwości do pracy. Następuje więc skuteczniejsze oczyszczanie organizmu ze złogów i niepotrzebnych tłuszczy. Łopian zaś to specjalista od wizerunku, perfekcyjnie oczyszcza krew, by ta prawidłowo dożywiała wszystkie narządy, również skórę.
Do celów leczniczych wykorzystuje się przeważnie korzeń łopianu, aczkolwiek w niektórych krajach znane jest działanie lecznicze nasion łopianu – ponoć doskonale przywracają gładkość skóry. Dzięki wywarom z nasion łopianu można więc w czasie odchudzania poprawić swój wygląd, a kilka zmarszczek mniej to dla niejednej kobiety spokojniejszy, barwniejszy sen.

przepis – upiększająca herbatka

garść nasion łopianu (chodzi o te piękne rzepy) zalać 4 szklankami wody, zagotować, a następnie na małym ogniu ogrzewać 2 – 3 minuty, przecedzić.
Herbatkę należy popić ciepłą w ciągu dnia.

Jednak przy odchudzaniu skuteczniejsza będzie herbatka z korzenia łopianu i mniszka.

<u>**przepis:**</u>

korzeń mniszka	50 g
korzeń łopianu	50 g

Zioła wymieszać, 3 łyżki wsypać do garnka, wlać 4 szklanki wody, zagotować, a następnie na małym ogniu ogrzewać około 5 minut, przecedzić. Herbatkę należy popijać ciepłą, najlepiej ½ godz. przed jedzeniem.

Latem polecam także żuć łodygi łopianu – odświeżają oddech, ale przede wszystkim sok łopianu odnawia krew. Zdrowa zaś krew, to zdrowy organizm.

Przetacznik – przetacza, ożywia krew

Czy przetacznik odchudza? – informacji na ten temat brak, ale niewątpliwie ten śliczny, niebieskooki, towarzyski przyjaciel człowieka, zrobi wszystko, co w jego ziołowej mocy, by zadbać o jego organizm. Przede wszystkim zaś oczyści z toksyn, poprawi trawienie i przyswajanie pokarmów. Zapewni zdrową, czystą krew.
Radzę więc nazbierać przetacznika, póki jeszcze zdobi polskie łąki i ogrody. Pomoże także ludziom przemęczonym pracą umysłową, ze słabą koncentracją, z zanikami pamięci, a także tym, którzy nie wytrzymują tempa cywilizacji, którym nerwy odmawiają posłuszeństwa, którym sen zdrowy nie przychodzi, a koszmary senne straszą po nocach.

<u>**przepis:**</u>

4 łyżki przetacznika wsypać do czajniczka z sitkiem, zalać wrzącą wodą, zaparzyć, przecedzić. Herbatka z powodzeniem zastąpi zwykłą herbatę.

Można też do sporządzenia takiej herbatki wykorzystać świeży przetacznik. Garść ziela wraz z kwiatami należy wrzucić do garnka, wlać 4 szklanki wody, zagotować, zaparzyć pod przykryciem 15 minut, przecedzić.

Fiołek trójbarwny – zakochany w zdrowiu

Fiołek trójbarwny to maleńka roślinka, przychodzi do nas wczesną wiosną i pozostaje na urokliwych, polskich polach do pierwszego śniegu. Nie boi się wichrów, nie lęka przymrozków – tylko delikatnie zaciśnie drobne kwiatuszki, a gdy znów zaświeci słońce, jak roztańczona baletnica skacze po jego radosnych promieniach.
Roślinka drobna, ale silna, nieugięta, wystawiona na wszelkie trudności i przeciwności natury.

Herbatkę z niej mogą popijać wszyscy – i ci, co mają chore zatoki, i ci, co cierpią z powodu chorób krążeniowych, ci z reumatyzmem, także ci, u których krew traci swą moc, i młodzi z trądzikiem, starsi z różnymi zmianami skórnymi, i również odchudzający się. Przed wojną specjaliści od zdrowia do fiołka trójbarwnego dodawali liście orzecha włoskiego, by w ten sposób połączyć siły dwóch ziołowych bohaterów, dzielnie walczących o zdrowie człowieka.

przepis:

ziele bratka polnego	50 g
liść orzecha włoskiego	50 g

Zioła wymieszać, 3 łyżki zalać 3 szklankami wody, zagotować, naciągać 15 minut, przecedzić, pić ciepłe w ciągu dnia najlepiej łykami.

Liście brzozy – wiosenna energia dla organizmu

Na pewno każdy już zdążył zauważyć, że inaczej czuje się przed komputerem, a inaczej w polu, w lesie. Wśród przyrody oddychamy pełną piersią, a z każdym oddechem wdychamy, a nawet pochłaniamy życiodajną energię – energię, którą przekazują nam nasi uniżeni słudzy, czyli rośliny i drzewa.
Jednak drzewa jak ludzie też mają swoje charakterki i charaktery. I nie radzę nikomu odpoczywać pod wierzbą, topolą, osiką, olchą, bo te zabiorą energię. Zaś drzewo szczególnie życzliwe człowiekowi to brzoza, która jak najtroskliwsza matka będzie przytulała do swego serca, pocieszała. I choć energia brzozy nie należy do najsilniejszych, to jednak bardzo wartościowa, bo likwiduje różne blokady w organizmie, które powstawały latami pod wpływem długotrwałego stresu.
Od wieków znane jest również lecznicze działanie soku z brzozy, który jest niezwykle zdrową, wartościową, „roślinną krwią". Nic więc dziwnego, że doskonale odnawia organizm, tym samym przyspiesza wykonywanie ważnych procesów życiowych, wspomaga też odchudzanie.
Podobne działanie mają również wiosenne liście brzozy, a nawet młode, kwietniowe gałązki z zieloniutkimi pąkami.

<u>przepis:</u>

garść wiosennych liści brzozy lub młodych pędów starannie umyć, wsypać do garnka, wlać 4 szklanki wody, zagotować, a następnie na maleńkim ogniu ogrzewać około 3 minut. Przecedzić, herbatkę popijać ciepłą w ciągu dnia.

Ślaz zaniedbany – likwiduje zaparcia

Ślaz zaniedbany, polski ślaz – roślina niewielka, wyglądem przypominająca baletnicę w ślicznej, zielonej sukni, przetykanej różowo – fioletowymi wesołymi kwiatkami.
To silne zioło, leczy nie tylko dolegliwości układu oddechowego, ale skutecznie pomaga w zapaleniu błony śluzowej układu pokarmowego, wspomaga także pracę jelit, a szczególnie polecane jest w zaparciach. Odchudzającym więc polecam herbatkę ze ślazu, może nie odchudza, ale pomoże w wielu schorzeniach, a zdrowszy organizm sprawniej rozprawi się z nadwagą.

przepis:

3 łyżki suszonego ziela zalać 3 szklankami zimnej, przegotowanej wody. Zostawić na noc. Rano lekko podgrzać, przecedzić, pić ciepłe w ciągu dnia, najlepiej łykami.
Ziele świeże przygotowujemy nieco inaczej. Garść ziela należy dokładnie umyć, wsypać do garnka, wlać 4 szklanki wody, zagotować. Następnie pod przykryciem zaparzać 15 minut. Przecedzić, pić ciepłe w ciągu dnia.

Przytulia – oczyszcza i krew, i limfę

Przytulia przede wszystkim stwarza warunki do odchudzania, bowiem oczyszcza nerki, wątrobę, trzustkę, śledzionę, jest więc niezwykle pomocna do prawidłowego funkcjonowania organizmu.

przepis:

3 łyżki ziela przytulii zalać 3 szklankami wrzącej wody, zaparzyć 15 minut pod przykryciem, przecedzić. Herbatkę popijać ciepłą w ciągu dnia.

Kurdybanek – reguluje pracę wątroby

Bluszczyk kurdybanek to niezwykle urokliwe zioło o słowiańskim, wesolutkim temperamencie przede wszystkim wzmacnia system odpornościowy, ale również odnawia i ożywia wątrobę, poprzez dostarczenie jej niezbędnych odczynników do wykonania skomplikowanych procesów życiowych. Herbatka z kurdybanka wspomaga więc odchudzanie.

przepis:

kilka łyżek suszonego ziela kurdybanka wsypać do czajniczka z sitkiem, zalać wrzącą wodą, zaparzyć. Otrzymaną herbatkę można rozcieńczać gorącą wodą i popijać w ciągu dnia zamiast zwykłej herbaty. Jest pyszna.

Bardziej aromatyczną herbatkę uzyskamy ze świeżego ziela kurdybanka – garść świeżego ziela należy starannie umyć, wrzucić do garnka, wlać 4 szklanki wody, zagotować, a następnie na małym ogniu ogrzewać 3 minuty. Przecedzić, ciepłą herbatkę popijać w ciągu dnia.

Pietruszka – skutecznie zadba o nerki

Pietruszka w walce z odchudzaniem – zarówno korzeń jak i liście mają ogromne działanie lecznicze, bowiem oczyszczają i odnawiają nerki, a tym samym sprawiają, że organizm zaczyna szybciej powracać do zdrowia.

przepis:

3 średnie korzenie pietruszki pokroić, wsypać do garnka, wlać 4 szklanki wody, zagotować, a następnie na małym ogniu gotować około 20 minut. Otrzymany wywar popijać ciepły w ciągu dnia, pietruszkę zaś można zjeść.

Latem, gdy korzenia braknie, wykorzystać natkę pietruszki. Garść natki wsypać do garnka, wlać 5 szklanek wody, zagotować, a później na małym ogniu podgotować około 10 minut.

Herbatka z pietruszki likwiduje uczucie głodu, dlatego warto ją popijać przed posiłkami.

Kończyna czerwona – specjalistka od substancji toksycznych

Herbatka z kwiatów koniczyny czerwonej odnawia wątrobę i nerki, oczyszcza organizm z chemicznych substancji toksycznych, tym samym poprawia jakość krwi i limfy, wzmacnia też odporność organizmu.

przepis:
garść kwiatów koniczyny wsypać do garnka, wlać 5 szklanek wody, zagotować, a następnie na małym ogniu ogrzewać około 5 minut, przecedzić. Herbatkę pić ciepłą w ciągu dnia.

Lecznicze kąpiele

Kąpiele są niezwykle pożyteczne, a w przypadku, kiedy organizm jest bardzo osłabiony i z trudem przyjmuje zarówno pożywienie jak i zioła, wtedy mogą być najskuteczniejsze, bowiem przez skórę najszybciej przedostaną się do organizmu wartości lecznicze ziół.
Niezwykle wartościowe są kąpiele w skrzypie, które wspaniale poprawiają krążenie nerkowe, a zdrowe nerki, to szybszy powrót organizmu do zdrowia, to również sprawniejsze odchudzanie.
Prawdziwe też cuda uczyni kąpiel w słonecznej macierzance, możemy łączyć ją z nawłocią i rumiankiem. Nie tylko poprawi

pracę nerek, ale także rozgrzeje cały organizm, dzięki czemu również wątroba skuteczniej poradzi sobie z nagromadzonymi tłuszczami.

przepis:

na 1 kąpiel należy wziąć 150 g ziół suszonych lub ½ wiaderka świeżych ziół, wsypać je do garnka, zalać wodą, zagotować, a następnie na małym ogniu podgotować około 20 minut, przecedzić do wanny, dolać ciepłej wody. Kąpiel powinna trwać 20 minut, nerki zawsze muszą być pod wodą, a serce nad wodą.

Wykonujemy 10 kąpieli, następnie robimy przerwę 2 tygodnie i znów od początku aż stan zdrowia się poprawi. Gdyby po kolejnych kąpielach w organizmie pojawiły się jakieś bóle, niekiedy nawet silne, wtedy kąpiele należy robić co 2 – 3 dni, czyli kurację należy przeprowadzać wolniej, bowiem organizm zaczął się oczyszczać, ale nie radzi sobie jeszcze z wydalaniem na zewnątrz toksyn.

dziewanna

Nie dajmy odebrać sobie zdrowych herbatek ziołowych, zdrowego pożywienia i nie dajmy sobie wmówić, że chemiczny świat stworzony w hermetycznie zamkniętych laboratoriach naukowych ma być doskonalszy i zdrowszy od natury.

Stefania Korżawska

Zdrowe odżywianie to odchudzanie

Oczyszczenie organizmu

Post ma głęboki sens

Ktoś powiedział, że organizmu nie ma potrzeby oczyszczać, on się sam oczyszcza, ponieważ taki program ma wmontowany. To prawda, ale żeby ten program mógł prawidłowo zadziałać, musimy mu stworzyć odpowiednie warunki. Zadbać o zdrowe odżywianie, odpowiedni ruch, zachować pogodę ducha, nie wyziębiać organizmu i przestrzegać postu.

Post znany był i praktykowany we wszystkich cywilizacjach, bowiem w ten sposób dawano szansę organizmowi na posprzątanie i wydalenie zanieczyszczeń. I to nie jest skomplikowana filozofia. Jeśli sprzątamy w domu, to w tym czasie przyjęcia nie urządzamy, jeśli zaś zjemy obiad, to naczynia zmywamy. Nasz organizm podporządkowany jest takim samym prawom. Jeśli zaś postu nie przeprowadzimy, organizm poradzi sobie sam, zacznie upychać zanieczyszczenia tam, gdzie znajdzie miejsce – woreczek żółciowy, jelita, nerki. Jeśli te narządy niewłaściwie, ospale zaczną pracować w wyniku osłabienia, będzie zanieczyszczona, zatruta krew, która nie tylko zanieczyści mięśni, stawy, naczynia krwionośne, mózg i nerwy, ale także spowoduje nadwagę. Zanieczyszczony, niewydolny, często wychłodzony organizm to również wymarzone środowisko dla złośliwych bakterii, grzybów czy chorobotwórczych wirusów.
Dlatego post ma głęboki sens, w czasie jego trwania nie tylko organizm sprząta zanieczyszczenia, ale też likwiduje wszelkie toksyny, grzyby i inne pasożyty.

Uruchomić wewnętrzne odżywianie

W czasie kuracji postnej niedostateczne odżywianie zewnętrzne uruchomi zastępcze odżywianie wewnętrzne, które polega na zużywaniu chorych tkanek – organizm najpierw wydala zbędną wodą (ustępują obrzęki), a następnie zwyrodniałe komórki i ogniska zapalne.

Wraz z wydalaniem starych komórek następuje regeneracja młodych, zdrowych komórek, co wiąże się z odmłodzeniem i odchudzeniem organizmu.

Ustępują bóle stawów, zmniejsza się cholesterol, trójglicerydy, reguluje ciśnienie, poprawia się odporność organizmu.

W czasie postu można spożywać wyłącznie warzywa oraz owoce, a także kaszę jaglaną gotowaną na wodzie bez tłuszczu i bez mleka.
Warzywa winny być ubogie w substancje odżywcze, takie jak: marchew, burak, seler, pietruszka, kapusta, kalafior, cebula, kabaczek, ogórki (szczególnie kiszone), dynia, sałata, pomidory. Można je spożywać gotowane w postaci zupy, obgotowane jako sałatki, nieco surowych.
W tym czasie należy zrezygnować z chleba, ziemniaków, strączkowych, mleka, oleju, mięsa, a także bardzo słodkich owoców. Są zbyt odżywcze, a więc organizm nie uruchomi wewnętrznego odżywiania, czyli spalania złogów tłuszczu i zwyrodniałych tkanek. Nie należy pić także mocnej herbaty, kawy, alkoholu ani palić papierosów. Ilość pokarmów jest dowolna. Po kilku dniach człowiek czuje się dużo lepiej – przede wszystkim wraca radość życia, jest lepsza koncentracja, poprawia się pamięć.

Dostosować tempo do potrzeb organizmu

W czasie postu może pojawić się ból głowy, zawroty głowy, silne osłabienie, a nawet ból całego ciała – to oznacza, że liczne toksyny zaczęły uwalniać się z poszczególnych narządów, a układ wydalniczy nie jest w stanie ich wydalić. W takim przypadku należy post nieco złagodzić – śniadania i kolacje pozostawić postne, a na obiad zjeść energetyczny sos z warzywami lub energetyczny rosół z kaszą jaglaną.
W ten sposób organizm systematycznie będzie się do postu przyzwyczajał. Zazwyczaj po 2 – 3 miesiącach chorzy bez żadnych problemów wytrzymują tygodniową kurację oczyszczającą. Droga, którą podaję jest bezpieczna, więc każdy może nią przejść, jednak należy dostosowywać tempo do potrzeb własnego organizmu. Nie spieszyć się zanadto, bo organizm nie znosi ani chaosu, ani pośpiechu, ani żadnych wstrząsów.

Post a odchudzanie

Nie ma odchudzania bez postu. Tylko wtedy, gdy nie będziemy dokładać organizmowi ciężkostrawnego pożywienia, odpocznie od ciężkiej pracy i znajdzie czas i siłę na porządkowanie, a później naprawienie uszkodzeń. Post powinien obowiązywać i na płaszczyźnie fizycznej, i duchowej, bowiem wielce niebezpieczny jest bieg przez życie wymuszany przez żądną pośpiechu cywilizację. Życie jest długie, dlatego można znaleźć czas na pracę i na odpoczynek, na jedzenie i post.
Człowiek, który ciągle pędzi, może przegrać życie, bo w biegu nie ma czasu na myślenie. Tak ważne są więc kolejne przystanki na drodze życia, by chociażby zweryfikować czy droga, którą biegniemy, nie zakończy się przed czasem.

Polski post, to ciepły post

Nie jestem zwolenniczką tzw. zimnego postu, który w ostatnich latach stał się bardzo modny. Woda, soki surowe, surówki – być może jest to dobre rozwiązanie dla rozgrzanych, silnych ludzi, którzy nie mają żadnych problemów ze zdrowiem. Ci jednak z nadwagą mają organizmy już od dawna niewydolne, mocno zanieczyszczone. Dlatego ich post winien być oparty na pożywieniu w większości ciepłym i gotowanym, by rozgrzać wątrobę, żołądek, śledzionę, wtedy dopiero zostaną stworzone organizmowi odpowiednie warunki do pracy.

Zaś surowe pożywienie i zimne napoje zablokują wewnętrzny ogień organizmu, wątroba jako laboratorium nie będzie mogła wykonać w zimnie skomplikowanych procesów życiowych, a więc oczyszczanie zostanie zablokowane.

Właściwe pożywienie dla organizmu

Jeśli przez wiele lat dieta była zbyt monotonna, na początku kuracji odchudzającej może być problem z przestawieniem się na postne pożywienie. Znam ludzi, którym wręcz szkodziły płatki owsiane. Nic dziwnego, jeśli wcześniej nie spożywali, organizm jest pozbawiony enzymów do ich przetworzenia. Nie robić więc niczego na siłę. Ale też nie rezygnować z niezwykle zdrowego i delikatnego pożywienia. Należy spożywać bardzo małe porcje, żeby organizm miał czas na rozpoznanie innego pożywienia i przygotowanie się do jego trawienia.

Tak samo może być z herbatkami ziołowymi, najlepiej więc zmieniać i próbować, którą nasz organizm najbardziej zaakceptuje. Należy jednak pamiętać, by herbatki ziołowe wspomagające odchudzanie nie były zbyt mocne. Niektóre z nich niestety są gorzkie, a co za tym idzie niesmaczne, ale i te warto popijać, bowiem gorycz służy wątrobie. Dzięki goryczy będzie mogła wytworzyć odpowiednie enzymy do trawienia i odchudzania. Przyzwyczailiśmy się do smaków łagodnych, a czasami zbyt słodkich. Śledziona lubi cukier, potrzebny jest jej do pracy, ale w organizmie zawsze musi być równowaga. Pełna harmonia, i gorycz, i słodkie, i słone, i kwaśne. Wszystko musi być, muszą być zapewnione właściwe odczynniki do wykonywania niezwykle skomplikowanych procesów życiowych.

Jak długi winien być post?

Organizmu zbyt długo nie powinno zmuszać się do postu, bowiem może się zbuntować i zareagować wybuchem głodu, nad którym najbardziej zdyscyplinowany umysł nie zapanuje. Wystarczy więc tygodniowy post. Następny tydzień czy nawet 2 tygodnie można wytrwać w tzw. poście przejściowym, czyli śniadania i kolacje spożywać postne, a obiad energetyczny. Zmusimy tym samym organizm w sposób mniej bolesny do zmiany smaków, a także ilości i jakości przyjmowanego pożywienia.

Następnie należy spożywać pożywienie energetyczne, które rozgrzeje organizm i przygotuje do właściwej pracy. Gdy waga zacznie spadać i stan zdrowia będzie się poprawiał, dopiero wprowadzić zdrowe odżywianie.

O poście jednak nie zapominać, warto powracać do niego kilka razy w roku. Najmniej bolesny dla organizmu jest post od wiosny do jesieni, bowiem wtedy dużo energii dostajemy od słońca, a więc mniej potrzebujemy jej z pożywienia. Przez cały rok natomiast polecam post jednodniowy, czyli 1 dzień w tygodni, który zapewni doskonały odpoczynek organizmowi.

Jeśli głód będzie mocno dokuczał

Jeśli głód będzie mocno dokuczał, można pomiędzy posiłkami załagodzić go ugotowanymi warzywami, zaś w przypadku mocnego osłabienia polecam szczególnie tym, którzy pracują, zjeść nieco płatków owsianych. Do garnka wsypać kilka łyżek płatków, wlać ½ szklanki wrzącej wody. Kilka minut zaparzyć pod przykryciem, spożywać ciepłe. Im dłużej przeżuwamy, tym smak płatków jest przyjemniejszy. Długie przeżuwanie likwiduje również uczucie głodu.

Warto pamiętać, że zioła mają też swoją wartość energetyczną i gdy głód dokucza, najpierw spróbować wypić bardzo powoli szklankę ciepłego, ziołowego napoju. Można też żuć nasionka kopru włoskiego, wtedy organizm zajmie się pracą, a do tego koper włoski odchudza.
Wiosną polecam do żucia łodygi mleczu, inaczej mniszka lekarskiego – 4 łodygi dziennie. Gorzki sok tego zioła to doskonała odżywka dla wątroby, wzmacnia ją i ożywia do pracy. Podobne działanie ma świeży korzeń mniszka, którego można ukopać od czerwca do późnej jesieni.

Przykładowy jadłospis – post

Uważam, że najskuteczniej oczyszcza organizm krupnik z kaszy jaglanej, który jednocześnie wzmacnia, regeneruje, rozgrzewa, bowiem kasza jaglana to złoto Polskiej Ziemi.
Znakomite rezultaty daje zupa marchewkowa, czyli tzw. marchwianka. Jeśli ktoś ma słaby układ trawienny, może zacząć od tej niezwykle zdrowej zupy – ureguluje pracę jelit, wzmocni żołądek, oczyści wątrobę.
W czasie postu popijać należy herbatki, które podałam we wcześniejszym rozdziale. Najlepiej przygotować kilka zestawów, by popróbować różnych smaków i zapachów.

– *krupnik z kaszy jaglanej*

<u>**przepis:**</u>

4 drobno pokrojone marchewki, 1 pietruszkę, kawałek selera, ½ szklanki starannie umytej kaszy jaglanej, 2 litry wody, sól do smaku i pieprz ziołowy, gotować około 30 minut. Pod koniec gotowania wrzucić drobno pokrojoną natkę pietruszki, koperek. Od wiosny do jesieni można dodać kilka liści mleczu, pokrzywy. Wtedy zupka uzyska dodatkowe wartości odżywcze i zdrowotne. Spożywać należy ją przez cały dzień.

– *marchwianka, czyli zupa marchewkowa*

<u>**przepis:**</u>

1 kg marchewki dokładnie umyć, oskrobać, pokroić wzdłuż na 4 części, wrzucić do 2 litrów wrzącej wody, gotować na małym ogniu 1 godzinę, całość zmiksować. Zupkę jeść ciepłą w ciągu dnia.
Jeśli marchewkę kupimy z dobrego źródła, uprawianą w sposób naturalny, zupka powinna być pyszna i słodka. Ma wiele wartości zdrowotnych i odchudza.

Jednak dla tych, którym ciężko byłoby wytrwać cały tydzień na tym prostym, acz niezwykle wartościowym dla organizmu pożywieniu, podaję dietę postną bardziej urozmaiconą.

I zestaw

<u>śniadanie</u>

– *warzywa obgotowane*

<u>**przepis:**</u>

do garnka wrzucić 2 pokrojone marchewki, 1 pietruszkę, ½ selera, wlać 2 szklanki wody, nieco posolić, dodać przyprawy ziołowe (pieprz ziołowy, zmielony kminek, lebiodka, majeranek), gotować około 15 minut. Warzywa utrzeć na grubej tarce, dodać 2 łyżki drobno pokrojonej zieleniny – szczypiorek, koperek, natka pietruszki lub rzeżucha, polecam także młodą pokrzywę czy listki mniszka.

obiad

– *zupa jarzynowa*

przepis:

4 drobno pokrojone marchewki, pietruszkę, kawałek selera, 1 garść poszatkowanej białej kapusty, cebulkę wrzucić do garnka. Wlać 2 litry wody, dodać sól kamienną lub morską do smaku, a także przyprawy ziołowe. Od wiosny do jesieni warto wykorzystać świeże zioła – kurdybanek, pokrzywę, liście mleczu, liście arcydzięgla, liście lubczyku. Nie żałować też takich ziołowych przysmaków jak natka pietruszki, koperek, szczypiorek, lawenda, lebiodka, majeranek, bazylia. Przyprawy nie tylko dodadzą zupie odpowiedniego smaku, ale także dostarczą jej dodatkowych wartości zdrowotnych i odżywczych. Zupę gotować 30 minut. Można ją po wystygnięciu zmiksować.

kolacja

– *gołąbki jarskie*

przepis:

wrzącą wodą sparzyć liście kapusty, wypełnić warzywnym farszem, zawinąć liście, gołąbki gotować w wodzie z przyprawami i przecierem pomidorowym.
warzywny farsz: ugotować 4 marchewki, pietruszkę, seler, 2 czerwone buraczki, zetrzeć na tarce i przyprawić do smaku.

II zestaw

śniadanie

– *kasza jaglana z marchewką*

przepis:

1 szklankę kaszy jaglanej starannie umyć, wsypać do garnka, wlać 2 ½ szklanki wody, zagotować. Gotować na bardzo małym ogniu około 15 minut. Następnie zdjąć z ognia i pod przykryciem zaparzać kaszę około 10 minut. Spożywać ciepłą z gotowaną marchewką. Marchewka powinna być z dobrego źródła, wtedy jest smaczna i słodka.

obiad

– *bigos z grzybkami*

przepis:

½ kg kiszonej kapusty, ¼ kg świeżej kapusty, 4 marchewki, 1 pietruszkę, kawałek selera, 1 szklankę umytych, suszonych grzybków wrzucić do garnka, wlać 4 szklanki wody. Dodać przyprawy ziołowe i sól kamienną do smaku. Gotować około 2 godzin – spożywać ciepły.

kolacja

– *zapiekanka z kabaczka*

przepis:

1 mały kabaczek, 2 pomidory, 1 cebulę – kabaczek obrać, wydrążyć środek, a pozostałą część pokroić w kostkę, pomidory i cebulę pokroić w plastry, dodać sól kamienną i ziołowe przyprawy. Warzywa włożyć do brytfanki, wlać ½ szklanki wody. Zapiec w piekarniku. Można spożywać z kaszą jaglaną.

III zestaw

śniadanie

– *kasza jaglana z jabłkiem*

przepis:

kilka łyżek ciepłej kaszy, 2 ugotowane na miękko jabłka

obiad

– *kapuśniak*

przepis:

2 garście poszatkowanej, świeżej kapusty, 4 drobno pokrojone marchewki, 2 pietruszki, kawałek selera wrzucić do garnka, wlać 6 szklanek wody. Dodać sól kamienną i przyprawy ziołowe do smaku. Gotować na małym ogniu około 1 godziny. Pod koniec gotowania dodać ½ szklanki przecieru pomidorowego lub 2 pomidory, kilka łyżek zieleniny – natka pietruszki, koperek, szczypiorek, może być świeży majeranek, lebiodka, bazylia. Kapuśniak spożywać ciepły.

kolacja

– *kasza jaglana zapiekana z warzywami*

przepis:

2 szklanki ugotowanej kaszy jaglanej, 1 kg ugotowanych warzyw startych na grubej tarce – marchewka, pietruszka, seler, kalafior, buraczek. Na blaszkę wlać ½ szklanki wody, następnie wyłożyć warstwę kaszy z przyprawami, a później warstwę jarzyn. Na końcu poukładać cebulę i pomidory pokrojone w talarki. Podawać na ciepło z drobno pokrojoną ziołową zieleniną.

Owoce w czasie postu

W czasie oczyszczania organizmu można spożywać owoce, ale w rozsądnych ilościach. Polecam 1 jabłko surowe, najlepiej zwiędnięte, jest całkowicie bezpieczne nawet dla tych, którzy mają osłabiony układ trawienny, mogą być jabłka gotowane, pieczone czy bardzo zdrowe i pyszne suszone. Suszone likwidują uczucie głodu.
Z owoców sezonowych na czas postu najzdrowsze są czarne jagody, kalorii mają niewiele, ale zdrowia moc.

Dieta jabłkowa i jagodowa

Latem czy jesienią warto przeprowadzić pyszną i niezwykle zdrową dietę jabłkową. W czasie tygodniowej kuracji, spożywać można do 2 kg jabłek dziennie pod różnymi postaciami – gotowane, pieczone, suszone, surowe. Wybornie smakują jabłka pieczone lub gotowane z ryżem (ryż nieoczyszczony kupić w sklepie ze zdrową żywnością). Polecam też dietę jagodową, która nie tylko dostarczy organizmowi niezwykle cennych wartości odżywczych, ale także naprawi pracę jelit i zlikwiduje chorobotwórcze bakterie w układzie pokarmowym. Gotowane jabłka czy jagody czarne można też spożywać z płatkami owsianymi lub kaszą jaglaną.

Warzywa do podjadania

Warzywa obgotowane lub gotowane powinny stać w każdej kuchni na widocznym miejscu, by można byłoby sięgnąć po nie, gdy tylko głód zacznie zmuszać nas do podjadania. Takie podjadanie jest bezpieczne, bo niskokaloryczne, a poza tym niezwykle zdrowe, wszak warzywa dostarczają witamin z grupy B, witaminę E i C, beta-karoten i wiele soli mineralnych.

Pożywienie energetyczne

Szybka energia dla organizmu

W czasie postu organizm odpoczywa od ciężkostrawnego pożywienia, ma więc czas nie tylko na wydalenie chorobotwórczych złogów i toksyn, ale także na rozpoznanie błędów w funkcjonowaniu poszczególnych narządów.
Błędy, niedociągnięcia, a niekiedy poważne straty zacznie naprawiać energetyczne pożywienie, inaczej naturalna kroplówka. Pożywienie to będzie przetwarzane na życiodajną energię nawet przez osłabiony, niewydolny organizm. Poza tym jego siła rozgrzeje organizm, wtedy szybciej popłynie krew, więc poszczególne narządy zwiększą jakość swojej pracy, między innymi poprawi się trawienie i przyswajanie pokarmów, dzięki czemu część tłuszczy przeznaczona zostanie na wykonanie procesów życiowych, a niepotrzebne wydalone.
Organizm wejdzie na mądrą i prostą drogę odchudzania i będzie szedł właściwym dla siebie tempem.

Przykładowy jadłospis – energetyczne pożywienie

I zestaw – na co dzień

<u>I śniadanie</u>

– *napój poranny*

<u>**przepis:**</u>

1 średniej wielkości marchewkę, 1 pietruszkę, 1 ziemniak, kawałek selera, obrać i starannie umyć, wrzucić do garnka, zalać 3 szklankami wody, gotować około 20 minut, można zmiksować. Zjeść jako pierwsze śniadanie. Można taką zupkę gotować z ka-

szą jaglaną lub płatkami owsianymi. Tę drugą wersję szczególnie polecam tym, którzy nie mają możliwości w pracy zjeść drugiego śniadania.

Napój poranny pobudza narządy wewnętrzne do pracy, likwiduje również kłopotliwe zaparcia.

II śniadanie

– *polewka ze zbóż*

przepis:

½ kg żyta, ½ kg orkiszu, ½ kg owsa bezłuskowego – ziarna najlepiej kupić w sklepie ze zdrową żywnością, umyć, mokre pozostawić na 3 dni do skiełkowania. Kilka razy dziennie mieszać zboże drewnianą łyżką, gdyby było suche, skropić wodą. Trzeciego dnia, gdy pojawią się kiełki, ziarno wraz z kiełkami ususzyć, najlepiej na słońcu, ale można też w piekarniku. Następnie zemleć w młynku do kawy na mąkę.
Przechowywać w szczelnie zamkniętym słoiku.
Do garnka wlać 1 ½ szklanki wody, wsypać 1 łyżeczkę świeżych drożdży piekarniczych, zagotować, dodać 1 łyżkę miodu, 3 łyżki mąki ze skiełkowanych zbóż, dokładnie wymieszać, można mikserem. Następnie na małym ogniu ogrzewać około 2 – 3 minut.

Polewka to pożywienie naszych ojców, dziadów i pradziadów, strawa prosta i zdrowa. W zbożach bowiem zawarta jest niezwykła energia, która potrzebna jest człowiekowi do życia.

obiad – I danie:

– *energetyczny, ziołowy rosół z kaszą jaglaną*

przepis:

½ kg dobrego, chudego mięsa (kogut wiejski, cielęcina, młoda wołowina, królik, mięso kozie, dziczyzna) wrzucić do garnka,

wlać 5 litrów wody, dodać 8 marchewek, 3 pietruszki, kawałek selera, 1 cebulę, 1 łyżkę ziołowego pieprzu, sól kamienną do smaku, 1 łyżkę suszonej pokrzywy, 1 łyżkę lebiodki, 1 łyżkę ziela lub korzenia lubczyku. Zagotować, a następnie na bardzo małym ogniu gotować około 3 – 4 godziny. Pod koniec gotowania dodać drobno pokrojony szczypiorek, natkę pietruszki, koperek. Od wiosny do jesieni można dodać drobno pokrojone listki pokrzywy i mleczu. Wybornego smaku dodają rosołowi również zielone listki kurdybanka czy listki bzu czarnego lub czarnej porzeczki. Rosół z zieleniną podgotować jeszcze około 10 minut.
Następnie schłodzić i zebrać tłuszcz, w rosole bowiem najważniejszy jest sam wywar, który bezbłędnie likwiduje wszelkie blokady energetyczne w organizmie. Tłuszcz zaś będzie przeszkadzał w pracy.

Można go podawać z nieoczyszczonym ryżem, z płatkami owsianymi gotowanymi na wodzie, z ziemniakami. Jednak najzdrowszy jest z kaszą jaglaną.

Ziołowy, energetyczny rosół zawiera wiele substancji odżywczych i leczniczych, ale przede wszystkim posiada siłę mocarza, długo gotowany na ogniu ma energię, która jest niezwykle do życia potrzebna.

<u>obiad – II danie:</u>

- ziemniaki z olejem lnianym i drobno pokrojonym szczypiorkiem, może być natka pietruszki, koperek lub rzeżucha
- gotowana marchewka
- kapusta kiszona z surową marchewką i olejem lnianym
- drobno pokrojone mięso z rosołu

Olej lniany – skarb natury

Olej lniany zawiera nienasycone kwasy tłuszczowe, które obniżają poziom cholesterolu i trójglicerydów. Ma więc działanie przeciwmiażdżycowe, reguluje także ciśnienie krwi. Pomaga również przy problemach skórnych, odżywia stawy, ostatnio dużo się mówi o jego działaniu przeciwnowotworowym, ale przede wszystkim jest to niezwykle zdrowe i nieprzetworzone pożywienie, które zadba o prawidłową budowę każdej komórki. Powinno się go spożywać codziennie. Można go spożywać na różne sposoby, ale polecam najprostszy i najzdrowszy, z ziemniakami. Ziemniaki nie mają własnego tłuszczu, są pokarmem chudym, więc ziołowy tłuszcz jest ich naturalnym uzupełnieniem. Olej lniany z kaszą jaglaną, z płatkami owsianymi, z białym serem jest niewątpliwie pożywieniem zdrowym, ale dla mocnego, a do tego ciężko pracującego człowieka.

kolacja

- *energetyczny, ziołowy rosół*
- *sałatka z soczewicy*

przepis:

1 szklankę soczewicy umyć, zalać gorącą wodą, ugotować, odcedzić. Do ostudzonej soczewicy dodać drobno pokrojone, ugotowane warzywa – 4 marchewki, 1 pietruszkę, 2 kiszone ogórki. Wymieszać, dodać 2 łyżki oleju lnianego. Przyprawić do smaku przyprawami ziołowymi, posolić. Posypać natką pietruszki, koperkiem. Polecam też do sałatki dodać rzeżuchę, wiosną młode listki mleczu czy pokrzywy. Pokrzywa nie parzy, jeśli się ją drobno pokroi.

II zestaw – na co dzień

I śniadanie

– *napój poranny*

II śniadanie

– *kisiel owsiany*

przepis:

½ kg ziaren owsa dokładnie umyć, wsypać do garnka, wlać 5 litrów wody, zagotować, a później na małym ogniu gotować około 3 godzin. Następnie owsianą masę przetrzeć przez sito. Otrzymany kisiel smakuje bez żadnych dodatków, jednak na początku kuracji, gdy naturalne smaki jeszcze nie zostały rozpoznane przez organizm, można dodać nieco miodu lub owocowego soku robionego na słońcu. Wybornie smakuje z kompotem z czarnych jagód – ambrozja z polskich pól i lasów.
Działa jak naturalna kroplówka, jest doskonałą odżywką, a jednocześnie oczyszcza organizm, odmładza i odchudza. Można go również wypić między posiłkami, gdy głód dokucza.

obiad – I danie:

– *energetyczny, ziołowy rosół z kaszą jaglaną*

obiad – II danie

– *ziemniaki z olejem lnianym i zieleniną*
– *sałatka z gotowanych, czerwonych buraczków*
– *kotleciki gotowane z cielęciny*

przepis:

½ kg ugotowanej cielęciny, 2 – 3 łyżki tartej bułki, 1 bułeczka graham namoczona w wodzie, 3 łyżki drobno pokrojonej natki pietruszki, 1 jajko, sól, ziołowe przyprawy, 1 kalafior, 2 pomidory lub ½ szklanki przecieru pomidorowego własnej roboty.

Mięso i bułeczkę zemleć w maszynce, dodać jajko, natkę pietruszki, sól, przyprawy. Uformować kotlety. Do rondla wlać wodę, ułożyć kotlety, a na nich pokrojony kalafior i pomidory. Przyprawić do smaku. Gotować pod przykryciem około 20 minut.

kolacja

– *energetyczny, ziołowy rosół*
– *sałatka warzywna z jajkiem*

przepis:

1 szklankę ugotowanej, przestudzonej soczewicy wsypać do salaterki, dodać pokrojone 2 pomidory, 5 rzodkiewek, kilka liści sałaty, 2 łyżki szczypiorku i koperku, posiekane, ugotowane na twardo 2 jaja, 1 łyżkę octu jabłkowego, 3 łyżki oleju sezamowego. Wszystkie składniki wymieszać, doprawić do smaku solą i przyprawami ziołowymi.

III zestaw – świąteczny

I śniadanie

– *napój poranny*

II śniadanie

– *płatki owsiane na słodko*

przepis:

do garnka wsypać 5 łyżek płatków owsianych, kilka rodzynek, wlać 1 szklankę wody. Zagotować, a następnie na małym ogniu ogrzewać około 5 minut. Dodać ½ łyżeczki cynamonu, szczyptę imbiru, 1 łyżeczkę miodu, 1 łyżeczkę zmielonych pestek dyni, 1 łyżeczkę zmielonych ziaren sezamu. Spożywać ciepłe.

Nasi przodkowie powiadali: „ Chcesz mieć końskie zdrowie, jedz płatki owsiane". Warto je spożywać, są lekkostrawne, delikatne w smaku, zawierają ważne dla organizmu witaminy i mikroelementy, między innymi dużo wapnia, fosforu, magnezu, krzemu. Są więc doskonałym budulcem kośćca, wzmacniają też nadwerężone nerwy, poprawiają trawienie. Odwapniają? – tak, usuwają z organizmu tzw. miażdżycowy, niedobry wapń. Nie mają zaś potrzeby zabierać dobrego wapnia, wszak same mają go pod dostatkiem. Owsiankę więc polecam, bowiem zapewnia zdrowie, siłę i długowieczność.

obiad – I danie:

– *energetyczny, ziołowy rosół z makaronem własnej produkcji*

przepis:

½ szklanki białej mąki, 2 szklanki mąki orkiszowej, 4 jajka, odrobinę wody, wyrobić ciasto. Rozwałkować jak najcieniej. Placek pokroić w paseczki szerokości około 4 cm. Układać po kilka pasków jeden na drugim. Kroić jak najcieńsze kluseczki. Wrzucić na wrzącą wodę, gotować około 15 minut.

obiad – II danie:

– *energetyczny sos*

przepis:

1 kg młodej wołowiny (bez kości) lub cielęciny, pokroić, posolić, włożyć do piekarnika, wlać ½ szklanki wody, piec 1 godzinę. Następnie mięso wraz z sosem przełożyć do garnka, dolać nieco wody i 5 łyżek wina czerwonego, gronowego, wytrawnego. Wrzucić 3 – 4 drobno pokrojone marchewki, pietruszkę, kawałek selera, dodać pieprz ziołowy, majeranek, zmielony kminek, lebiodkę, tymianek do smaku, zagotować. Następnie na małym ogniu gotować około 2 godzin.
Podawać z gotowanymi warzywami.

Uwaga: Nie należy do sosu dodawać pora jest ciężkostrawny, a do tego mocno ochładzający, śluzotwórczy.

podwieczorek

– *krem z kaszy jaglanej*

przepis:

1 szklankę gotowanej kaszy jaglanej, 1 łyżeczkę miodu, 1 łyżkę masła śmietankowego, cynamon, pokrojone daktyle, rodzynki, zmielone ziarno sezamu, owoce sezonowe;

Kaszę jaglaną z miodem i masłem zmiksować, następnie dodać bakalie i starannie wymieszać. Następnie krem wyłożyć do salaterek, posypać cynamonem, można dodać owoce sezonowe.

Krem jest pyszny, ale również niezwykle zdrowy, bowiem kasza jaglana, która wchodzi w jego skład, rozgrzewa organizm, jest bogatym źródłem witamin z grupy B, a także mikroelementów – żelaza, wapnia, magnezu, krzemu. Zawiera również niezwykle wartościowe dla organizmu nienasycone kwasy tłuszczowe.

– *energetyczny kompot z suszonych owoców*

przepis:

garść suszonych jabłek, garść rodzynek, 3 – 4 daktyle, laseczkę pokruszonego cynamonu, 6 szklanek wody, 2 łyżki miodu, zagotować, następnie podgotować na małym ogniu około 30 minut.

kolacja

– *energetyczny, ziołowy rosół*
– *pasztet z soczewicy, ziołowe placuszki*

przepis:

2 szklanki ugotowanej soczewicy, ½ kg cielęciny, 20 dag wątróbki cielęcej, 3 marchewki, 1 pietruszka, ½ selera, sól kamienna,

ziołowe przyprawy, listek laurowy, 1 bułka grahamka, 1 łyżka masła, 4 łyżki posiekanej pietruszki, 2 jajka.

Mięso umyć, włożyć do wrzącej wody, dodać przyprawy, gotować na wolnym ogniu. Gdy nieco się podgotuje, dodać wątróbkę i warzywa, ugotować do miękkości. Mięso, warzywa i wątróbkę wyjąć z gorącego wywaru, namoczyć w nim grahamkę. Wszystkie składniki przekręcić przez maszynkę, dodać jajka, masło i dokładnie utrzeć. Przyprawić do smaku. Masę włożyć do słoików ½ litrowych, zakręcić. Słoiki wstawić do garnka z ciepłą wodą, zagotować, a następnie gotować na małym ogniu około godziny. Powtarzać wekowanie 2 – 3 razy.

Pasztet smakuje wybornie, na ciepło można spożywać z ziemniakami lub warzywami gotowanymi, może też posłużyć jako farsz do pierogów, a na zimno polecam z ziołowymi placuszkami, które zdrowsze są od chleba.

– *ziołowe placuszki*

przepis:

1 szklanka białej mąki, 1 szklanka orkiszowej mąki, ½ szklanki mąki ze skiełkowanych ziaren (mąka, którą zrobiliśmy do polewki), 3 garście ugotowanych i przekręconych przez maszynkę ziemniaków, 1 łyżkę soli, 1 łyżeczkę zmielonego majeranku, 1 łyżkę zmielonego kminku, 1 łyżkę zmielonej kozieradki, 3 wiejskie jajka, 1 łyżkę masła śmietankowego, nieco wody. Wyrobić ciasto, można mikserem. Uformować placuszki, piec około ½ godziny. Placuszki można spożywać na ciepło, z odrobiną masła lub oleju lnianego, smakują również wychłodzone, wtedy można spożywać je np. z pasztetem z soczewicy lub warzywnymi sałatkami.

Warto też mieć pyszne i niezwykle energetyczne, ziołowe placuszki w pracy i zjeść, gdy głód nie pozwala skupić się na wykonywaniu obowiązków.

Zdrowe pożywienie

Gdy nadwaga będzie się zmniejszała ...

Należy do pożywienia energetycznego dodawać poszczególne potrawy ze zdrowego odżywiania. Można na energetycznym rosole gotować ulubione zupy, wprowadzać inne rodzaje mięsa, spożywać odrobinę dobrego pieczywa. Jednak dokąd waga nie powróci do normy, należy unikać:

- smażonego, wędzonego;
- mleka i jego przetworów – zamiast mleka można spożywać zmielone ziarno sezamu, 1 – 2 łyżki dziennie. Jest ono źródłem lekkostrawnego wapnia;
- ograniczyć zimne, surowe – zamiast surówek spożywać warzywa ciepłe, gotowane lub obgotowane. Surówki, które można spożywać bez szkody dla organizmu, to kapusta kiszona i ogórki kwaszone. Latem dozwolone są surowe warzywa w umiarkowanej ilości.
- owoce: 1 jabłko surowe (najzdrowsze zwiędnięte), mogą być jabłka gotowane, pieczone, suszone. Polecam 3 – 4 daktyle, kilka rodzynek, oczywiście owoce sezonowe – bardzo zdrowe są jagody czarne, porzeczki czarne, maliny, jagody amerykańskie, aronia, uważać zaś na truskawki, śliwki i gruszki.
- żadnych owoców i warzyw mrożonych, być może są źródłem witamin i mikroelementów, ale energia w nich zawarta została wyniszczona. Są więc bezwartościowe dla organizmu, a być może nawet szkodliwe. Na zimę suszymy, a nie mrozimy natkę pietruszki, nać selera, koperek. Pamiętajmy również o suszonej pokrzywie, którą później można dodawać jako niezwykle cenną przyprawę do wszystkich zup, rosołów czy sałatek warzywnych. Suszone zachowuje wszystkie wartości odżywcze i zachowuje bogatą energię, a ta przede wszystkim potrzebna jest organizmowi.

- pożywienia z mikrofalówki. Najzdrowsze pożywienie jest gotowane na ogniu – najsilniejsze źródło energii to drzewo, następnie węgiel, dużo słabsze gaz, natomiast prąd elektryczny nie przekazuje energii, a nawet naukowcy zbadali, że ją podczas gotowania zabiera produktom spożywczym.

Mięso – spożywać czy nie ...

Ludzie z naszej sfery klimatycznej nigdy nie żywili się wyłącznie pokarmem roślinnym, do ich przeżycia niezbędne było mięso. Mięso, które szczególnie polecam to wołowina, cielęcina, kogut wiejski, królik, może być indyk wiejski.
Mięso ze zdrowych zwierząt daje siłę, wzmacnia krew i kości. Na mięsie wołowym można gotować zupy, można również podawać je duszone z jarzynami.
1 – 2 razy w tygodniu polecam ryby – te zaś posiadają bardzo wartościowe tłuszcze nienasycone, a także cenne witaminy i minerały. Poprawiają krążenie krwi, a także obniżają cholesterol i trójglicerydy. Proponuję ryby gotowane z warzywami na ciepło lub w galarecie albo smaczne ryby pieczone we własnym sosie podawane z warzywami obgotowanymi.

Często ludzie spożywają mięso i wędliny 3 razy dziennie, do tego popijają zimnym płynem, a nawet łączą ze słodyczami i lodami. Takie niezdrowe łączenie produktów przyczynia się do produkcji śluzu w organizmie, a ten z kolei powoduje choroby układu krążenia, reumatyzm, także nadwagę.

A co z tłuszczami?

Są one niezbędne do prawidłowej przemiany materii oraz właściwego funkcjonowania układu trawiennego. Dieta beztłuszczowa jest niebezpieczna, szczególnie dla młodzieży – może bowiem wywołać poważne zaburzenia hormonalne. Jeśli spożywamy zbyt mało tłuszczu, mamy zawsze wilczy apetyt na słodycze. Od czasu do czasu można więc spożywać smalec z przyprawami i cebulą.

<u>przepis:</u>

1 kg boczku, ½ kg słoniny drobno pokroić, wrzucić na rozgrzaną patelnię. Gdy skwarki będą rumiane, dodać drobno pokrojoną cebulę i przyprawy (majeranek, zmielony kminek, pieprz ziołowy, bazylię). Przestudzony przelać do słoika.

Polecam olej z oliwek, olej z pestek winogronowych, olej sezamowy – posiadają one nienasycone kwasy tłuszczowe. Skutecznie działają przy chorobach układu krążenia, przy cukrzycy, reumatyzmie.
Nie zapominajmy jednak o naszym polskim oleju lnianym. Polacy stosowali go od wieków – wyśmienity smak, wspaniałe wartości odżywcze i lecznicze.

Masło czy margaryna?

Niektórzy twierdzą, że masło śmietankowe należy zastępować masłem roślinnym. Masło z prawdziwej śmietany było wykorzystywane od wieków. Zawiera ono cenne witaminy A, D, E, B, sole mineralne (potas, wapń, magnez). Masło przede wszystkim polecam dzieciom i młodzieży. A dorośli? – jeśli się zdrowo odżywiają, to z pewnością odrobina masła nie podniesie cholesterolu. Należy pamiętać, że jest ono koniecznie potrzebne przy osteoporozie.

Warzywa przez okrągły rok

Szczególnie polecam warzywa obgotowane lub gotowane, które można łączyć z kaszą lub z mięsem. Dostarczają witamin z grupy B, witaminę E i C, beta-karoten i wiele soli mineralnych. Surowe warzywa powinno się spożywać przede wszystkim latem, gdy jest gorąco, więc można nieco odświeżyć organizm. Należy jednak pamiętać, że są one ciężkostrawne i wychładzające.
Przez cały rok nie wolno zapominać o strączkowych – zawierają one dużo białka, witamin z grupy B, a także sole mineralne. By stały się bardziej lekkostrawne, dodawać należy do nich ziołowe przyprawy: majeranek, lebiodkę, kurkumę, zmielony kminek, pieprz ziołowy.

Owoce spożywać rozsądnie

Najzdrowsze dla nas są owoce krajowe. Owoce południowe są ochładzające – poza tym konserwowane na czas transportu. Szczególnie polecam jabłka i to pod każdą postacią. Jabłka surowe, jeśli ktoś ma problemy z układem pokarmowym, niech spożywa jabłka zwiędnięte, nieszkodliwe będą również jabłka gotowane, pieczone czy suszone. Latem sięgajmy po owoce sezonowe. Jednak należy pamiętać, że owoce są wychładzające, stąd spożywane w dużej ilości osłabią organizm, ten zaś zareaguje apetytem, by uzupełnić utraconą energię. Owoce należy spożywać, ale w rozsądnych ilościach. Bardzo zdrowe są owoce suszone, które szybko uzupełniają zdrową energię w organizmie. Można je potraktować jako zdrową gumę do żucia.

Za pół porcji dla choroby podziękować

Pożywienie to już nie dar Boży, ale biznes dla producentów tzw. szybkiej żywności, rolniczej chemii, przemysłu farmaceutycznego, armii specjalistów od chorób. Jedzenie z idealnie dobranymi

chemicznymi smakami wciąga jak narkotyk. Chce się jeść i niekoniecznie po to, by zaspokoić głód. Zahipnotyzowany chemią mózg nie potrafi żołądkowi wydać właściwych poleceń, stąd jedzenie dla przyjemności, nie bacząc na konsekwencje.
Dlatego należy wrócić do zdrowego, prostego, ze smakami natury pożywienia. I powoli organizm przyzwyczajać do mniejszych porcji – zjeść tylko pół porcji dla zdrowia, za drugie pół dla choroby podziękować.

Praktyczne rady

W przykładowym jadłospisie podaję zestawy zdrowego pożywienia na 2 tygodnie. Nie należy traktować zestawów zbyt rygorystycznie. Raczej dostosować je należy do własnych możliwości. Jeśli czas pozwala, z pewnością idealnie byłoby codziennie gotować świeże potrawy. Ale niestety większość kobiet pracuje i trudno oczekiwać od nich, żeby cuda czyniły w kuchni. Ale przy minimum wysiłku można również sprawić, że będziemy odżywiali się zdrowo.

– gotowanie na zapas

Napój poranny warto ugotować wieczorem, zmiksować. Wstawić do lodówki, rano odgrzać. Jeśli całości nie zjemy, wykorzystać na następne śniadanie. Płatki owsiane czy kaszę jaglaną gotuje się szybko, można więc przygotować rano. Rosół czy zupę należy ugotować poprzedniego dnia. To żadna praca – wystarczy oskrobać warzywa, zapomnieć o mrożonkach, obrać ziemniaki. Wrzucić do garnka mięso, przygotowane warzywa, zalać wodą, posolić, dodać przyprawy ziołowe i gotować. Po 30 minutach wyjąć warzywa, a mięso musi się jeszcze gotować około 1½ godziny. Pod koniec gotowania należy dodać zieleninę.

Zupa to podstawa naszego pożywienia, jest lekkostrawna, dostarcza wielu elementów do budowy zdrowia, a poza tym rozgrzewa organizm. Należy ugotować jej więcej, żeby wystarczyło na 2 – 3 dni. Przeciwnicy zakazują jedzenia odgrzewanych pokarmów. Według mnie lepiej odgrzać zdrową, energetyczną, ugotowaną na kawałku dobrego mięsa zupę, niż zajadać co prawda świeżutkie, ale z torebki, sztuczne zupy. Niektóre panie przygotowują szybkie zupy z mrożonek, zamiast mięsa dodają niezwykle popularne kostki rosołowe. Nawet znawcy przedmiotu zalecają takie zupy, twierdząc, że są zdrowsze od zupy ugotowanej na mięsie, czyli wynikałoby z tego, że chemia jest zdrowsza od natury. Dla samochodów pewnie tak, ale dla naturalnego ciała człowieka nie. Zupy więc bezwzględnie mają być tradycyjne, dokładnie takie same jak gotowały nasze babcie i prababcie. Może tylko z jedną różnicą, bez zasmażek. Wtedy ludzie ciężko pracowali, a z mięsem bywało różnie, musiała więc być zupa wzmocniona zasmażką, by dać im siłę do życia. Skwarki w zupie to była prawdziwa atrakcja.

– mięso powinno być zdrowe

Jeszcze kilkanaście lat temu mięso było zdrowsze. Teraz niestety odżywia się zwierzęta złowrogim pożywieniem, stąd mięso z kurczaków smakuje jak wata, a ich kości są czarne, czyli zniszczone, chore. Widziałam też zęby ½ rocznej świni, całkiem czarne, popsute. Brak słów na określenie tego, jaki los gotują ludzie ludziom i ludzie zwierzętom w czasie pokoju. I o jakiej wolności mówimy. Żal, jedyne słowo, które mogę w tym miejscu wypowiedzieć. Należy więc poszukać mięsa lepszego. Trzeba jednak trochę wysiłku zrobić, żeby do niego dotrzeć. Są jeszcze w Polsce tacy ludzie, którzy karmią zwierzęta naturalną paszą, chociażby po to, żeby mieć zdrowe dla siebie i rodziny. Docierać do nich. Pewna pani opowiadała mi, że co roku znajomi na wsi hodują specjalnie dla niej koguty. Ma więc doskonałe mięso na cały rok. Inna latem na działce hoduje indyki, niektórzy kupują kózki, mają i zdrowe mleko, i niezwykle zdrowe mięso. Inni zaś króliki, perliczki czy nawet bażanty.

– przyprawy, tylko ziołowe

Zupy więc gotowane na niezdrowym mięsie rzeczywiście ze zdrowiem mają niewiele wspólnego. A jeszcze do tego wszechobecna chemia, modne stały się chemiczne przyprawy, chemiczne smaki. Nawet bez reklam winniśmy wiedzieć, że zdrowe są jedynie przyprawy ziołowe, bo naszemu ciału są podobne, wszak z tej samej ziemi co i my powstają.

Znakomite ziołowe przyprawy – majeranek, kminek, czarnuszka, koper włoski, bazylia, cząber, kolendra, lebiodka czy wspaniały lubczyk. Możemy wykorzystywać zielone, soczyste zioła chociażby wyhodowane na kuchennym parapecie, ale równie wartościowe są suszone. Wtedy najlepiej wszystkie wymieszać, zemleć w młynku do kawy, wsypać do słoiczka i dodawać do każdej zupy, sosu czy sałatek warzywnych.
Nie zapominajmy też o takich znakomitościach jak: kurdybanek, hyzop czy pokrzywa, warto pamiętać, ze rosną wokół nas.

– najważniejsza zupa, a II danie?

Najważniejsza dla organizmu jest zupa. I wygodna dla tych, którzy czasu nie mają. Każdy wróci do domu, odgrzeje i zdrowy pokarm zapewni organizmowi. Znam takich, którzy w termosie zupę noszą do pracy. To żaden wstyd zjeść w pracy aromatyczny rosół czy zupę, gdy inni zajadają zimne kanapki. Pokazywać, że można zdrowiej to ludzka rzecz.

II danie, jeśli czas na to pozwala, polecam. Można też przygotować je na 2 – 3 dni, później tylko ugotować ziemniaki, odgrzać mięso, warzywa. Dodać kapustę kiszoną czy ogórek. Często z zupy pozostaje mięso, wystarczy odgrzać, a do niego podać gorące ziemniaki polane olejem lnianym, warzywa gotowane. A jeśli nie ma mięsa do niezwykle zdrowych ziemniaków z olejem lnianym można dodać kawałek śledzia. Jedzenie i proste, i smaczne, i zdrowe. I gdybyśmy codziennie zjedli chociażby 1 łyżkę oleju lnianego nie martwilibyśmy się o kolana, stawy biodrowe czy kręgosłupy, bowiem olej lniany to naturalny konserwator kośćca.

Zapewniam, że można zdrowo się odżywiać, nawet wtedy, gdy czasu brak. To tylko kwestia organizacji, wiem o tym z własnego doświadczenia, bowiem sama jestem kobietą pracującą.

– ziarno sezamu

Ziarna sezamu zawierają cały zestaw mikroelementów, a także posiadają wartościowe substancje białkowe. Są więc bardzo pożyteczne przy chorobach wątroby i woreczka żółciowego – są skutecznym lekiem przy zaparciach. Wspaniale wzmacniają mięsień sercowy. Są bardzo ważnym źródłem wapnia, lekkostrawnego, łatwo przyswajalnego przez organizm, więc przy osteoporozie czyni cuda. Stosować 2 – 3 łyżeczki dziennie, najlepiej zmielonego. Ostatnio naukowcy znaleźli w ziarnach sezamu substancję chroniącą przed nowotworem.

Polecam zatem ziarno sezamu codziennie, a szczególnie w czasie odchudzania, wszak godnie zastąpi ciężkostrawne i śluzotwórcze mleko oraz jego przetwory. Można spożywać na różne sposoby – dodawać do zupy, do kaszy jaglanej, do płatków owsianych czy sałatek warzywnych, a można po prostu żuć w czasie pracy.

– <u>mleko posiada moc natury</u>

Mleko towarzyszyło człowiekowi od zawsze. I nie szkodziło. Ale ostatnio wiele się zmieniło. Po pierwsze mleko, które sprzedawane jest w sklepach, niewiele przypomina prawdziwe od krowy. Ile w nim chemii, a ile mleka? – trudno powiedzieć. Po drugie dawniej ludzie jedli skromniej, często mleko i jego przetwory zastępowały mięso. Wygłodzony organizm z podziękowaniem więc przyjął mleko i ochoczo przerobił na życiodajne soki.

Obecnie spożywamy zbyt dużo mięsa, dodatkowo popijamy mleko, spożywamy jego przetwory, podjadamy słodycze i jemy tak ciężkostrawny chleb, że na wsi, którą pamiętam, takiego czarnego „gniota" z ziarnami gospodyni kurom by nawet nie dała, w obawie, żeby się nie rozchorowały. Nic więc dziwnego, że organizm wysyła informacje w postaci chorób o beznadziejnej swojej sytuacji i rozpaczliwie błaga o zmniejszenie transportu z pożywieniem, bo poprzedniego jeszcze nie zdążył rozładować.

Po trzecie krowy od wieków były odżywiane naturalną karmą, stąd też dawały mleko zdrowe. Karma w XXI wieku zmieniła się radykalnie – a jaka karma, takie mleko.
Po czwarte zmienił się też człowiek, kiedyś nikt nie słyszał o alergii, teraz większość dzieci rodzi się z alergiami. Po takim pożywieniu, jakie spożywamy, organizmy są wyniszczone, niewydolne, stąd silna jeszcze natura staje się zagrożeniem dla słabego człowieka.

To nie przyroda winna, że pyli, tylko winny jest człowiek, bo zaufał wygodnej cywilizacji i żyje według jej sztucznych praw.

Nic więc dziwnego, że zdrowe mleko będzie mu szkodziło, wszak posiada ono jeszcze moc natury, z którą niewydolny organizm nijak nie może sobie poradzić.

Dlatego w czasie odchudzania mleka i jego przetworów nie polecam – należy poczekać aż organizm odzyska swą naturalną moc. Wtedy mleko stanie się dla niego pełnowartościową odżywką – pod warunkiem, że będzie pochodziło z dobrego źródła.

– jajko jak czekolada

Jeśli głód mocno dokucza, warto sięgnąć po warzywa gotowane, które powinny zawsze być w zasięgu ręki. W pracy, szczególnie wtedy, gdy organizm potrzebuje szybkiego wsparcia energetycznego, można zjeść gotowane jajko (koniecznie wiejskie) na twardo. Zjeść powoli bez chleba, popić herbatką ziołową. Jajko jak czekolada szybko uzupełni brakującą energię, ma ogromną wartość odżywczą, a do tego zawiera lecytynę i cholinę, dzięki którym wątroba szybciej rozprawi się z tłuszczami. Od jajka więc nie przytyjemy, byle by go nie łączyć z chlebem i cukrem.

Gdyby organizm nerwowo upominał się o jedzenie, nie sięgać po owoce, wychłodzą żołądek, co będzie przyczyną jeszcze większego głodu. Owoce jak woda raczej osłabiają, dlatego szybciej oszukają głód ciepłe herbatki ziołowe i gotowane pożywienie.

– zaufać mądrości ziół

Ziołowe herbatki wspomagające odchudzanie, które podałam w książce z powodzeniem mogą zastąpić zwykłą herbatę. Rano najlepiej przygotować je w postaci koncentratu.

przepis:

kilka łyżek danej mieszanki ziołowej wsypać do dzbanka z sitkiem, zalać wrzącą wodą, naciągać 15 minut, przecedzić. W ciągu dnia koncentrat ziołowy popijać w następujący sposób: nieco koncentratu wlać do szklanki i dopełnić gorącą wodą.

Niektórzy pytają, dlaczego podaję na jedno schorzenie kilka herbatek ziołowych. Zioła to nie tabletki, które przyjmujemy ściśle według wskazań lekarza. Należy raczej potraktować je jako najzdrowsze pożywienie, które dostarczy organizmowi najwłaściwszych substancji do oczyszczenia i regeneracji. Warto więc przygotować kilka zestawów herbatek ziołowych i zaparzać je wymiennie, wtedy z tej różnorodności organizm wybierze to, czego najbardziej potrzebuje do życia i zdrowia. Poza tym, każdy organizm jest inny, więc po pewnym czasie zauważymy, które herbatki służą nam najbardziej. Zaufać więc mądrości ziół.

– energetyczna kawa

Za czasów mojej młodości kawę zaliczało się do luksusów, rzadko bywała w sklepach, a więc w czasie studiów pobudzałam umysł do pracy, popijając herbatkę z macierzanki, w czasie sesji łączyłam macierzankę z rozmarynem lub z kozieradką i sił do nauki nie brakowało mi nigdy. Ale niektórzy bez kawy wręcz nie wyobrażają sobie życia. Piją nawet kilka kaw dziennie. I źle, bo choć kawa to nie trucizna, ale powoli organizm będzie osłabiała, wyniszczała. W czasie odchudzania kawy raczej nie polecam. Gdyby jednak nawyk okazał się silniejszy od zdrowego rozsądku, można wypić 1 kawę dziennie, ale gotowaną. Ta rozgrzeje organizm, szczególnie zaś wzmocni nerki i jelito grube. Nie spowoduje pobudzenia nerwowego, niepokoju serca, nie wypłucze też magnezu ani witaminy B.

przepis:

do metalowego kubka wlać 1½ szklanki wody, wsypać 1½ łyżeczki kawy naturalnej zmielonej, 1 łyżeczkę rozmarynu, 1 łyżeczkę kopru włoskiego, ½ łyżeczki cynamonu, szczyptę kardamonu, 1 łyżeczkę miodu, gotować minimum 2 minuty. Przecedzić, wypić ciepłą.
Jeśli ktoś ma problemy z układem trawiennym zamiast rozmarynu, niech doda 1 łyżeczkę kminku.

Przykładowy jadłospis – zdrowe pożywienie

Śniadanie dla osoby z nadwagą przez 3 miesiące powinno składać się z napoju porannego oraz płatków owsianych na wodzie. Napój poranny oczyszcza żołądek i jelita z resztek z poprzedniego dnia, odkwasza również organizm, poleruje krew.
Zaś płatki owsiane, znane w Polsce od wieków, oczyszczą i wzmocnią naczynia krwionośne, a także odżywią organizm.

Gdy waga będzie powracała do normy, może być śniadanie bardziej urozmaicone, ale zawsze ciepłe, gotowane, by rano organizm rozgrzało i przekazało energię do życia. Godna polecenia jest kasza jaglana ugotowana na wodzie – można ją rano spożywać z rosołem, niezwykle smaczna jest z warzywami gotowanymi i odrobiną masła, dzieci uwielbiają kaszę jaglaną na słodko, czyli do ciepłej kaszy dodać należy rodzynki, miód, masło, cynamon.

I TYDZIEŃ

I zestaw – na co dzień

I śniadanie

– *napój poranny*

przepis:

1 marchewkę, 1 pietruszkę, 1 ziemniak, kawałek selera, 2 szklanki wody, gotować 20 minut, można zmiksować, zjeść jako pierwsze śniadanie (najlepiej 1 – 2 godziny przed drugim śniadaniem).

Napój ten najskuteczniej zwalcza zaparcia. Silne zioła, które najczęściej poleca się przy tego rodzaju problemach mogą uczynić więcej szkody niż pożytku. Działają bowiem na zasadzie słabego konia, którego do pracy zmusza się batem. Popracuje trochę w lęku przed kolejnym uderzeniem, ale kiedyś z wycieńczenia padnie. Tak samo dzieje się z niewydolnymi jelitami, które do pracy zmusza się silnymi herbatkami ziołowymi. Napój poranny zaś poprawia krążenie jelitowe, dzięki czemu same ochoczo podejmują pracę oczyszczania i wydalania.

II śniadanie

– *płatki owsiane na słodko*

przepis:

znajduje się w rozdziale „Energetyczne pożywienie".

Można płatki przygotować w pracy, wtedy kilka łyżek wsypać do kubka, zalać wrzącą wodą, pod przykryciem zaparzyć 10 minut. Dodać nieco miodu lub soku owocowego i pozostałe przyprawy.

obiad – I danie

– *ziołowy, energetyczny rosół z kaszą jaglaną*

przepis:

znajduje się w rozdziale „Energetyczne pożywienie".

Do pracy można przygotować gorący rosół razem z kaszą jaglaną w termosie.

Jeśli z rosołu pozostanie mięso, należy wykorzystać je na drugie danie – można przygotować kotleciki, jednak gdy czasu brak, wystarczy je podgrzać, drobno pokroić, podać z gotowanymi ziemniakami, olejem lnianym i chociażby kiszoną kapustą lub z gotowanymi warzywami i olejem lnianym. Obiad prosty, lekkostrawny, pożywny. Jestem przeciwniczką wymyślnych obiadów, które po pierwsze są pracochłonne, po drugie ciężkostrawne, więc zahamują proces odchudzania. Takie obiady zostawiłabym tylko od święta. Na co dzień zaś trzymajmy się zasady: im prościej, tym zdrowiej.

obiad – II danie

– *kotleciki z mięsa i soczewicy*

przepis:

25 dag mięsa wołowego (ugotowanego), 25 dag gotowanej soczewicy, 1 bułkę graham rozmiękczoną w wodzie, przekręcić przez maszynkę, dodać sól kamienną do smaku, ziołowe przyprawy, 1 cebulę drobno pokrojoną, 1 jajko. Masę wymieszać, uformować kotleciki, posypać tartą bułką. Włożyć do piekarnika, wlać ½ szklanki wody, piec 30 minut. Podawać ciepłe z warzywami obgotowanymi i kapustą kiszoną.

kolacja

– *kasza gryczana zapiekana z warzywami*

przepis:

2 szklanki ugotowanej kaszy gryczanej, 1 kg ugotowanych warzyw startych na grubej tarce – marchewka, pietruszka, seler, kalafior, buraczek. Na blaszkę wlać ¼ szklanki wody, następnie wyłożyć warstwę kaszy z przyprawami, a później warstwę jarzyn. Na końcu poukładać cebulę i pomidory pokrojone w talarki. Podawać na ciepło z drobno pokrojoną ziołową zieleniną i olejem lnianym.

II zestaw – na co dzień

I śniadanie

– *napój miodowy*

przepis:

wieczorem do szklanki chłodnej, przegotowanej wody dodać łyżkę miodu, rano nieco podgrzać, wlać jedną łyżkę octu jabłkowego własnej roboty, wypić przed śniadaniem lub między posiłkami. Napój miodowy oczyszcza i wzmacnia nerki, rozrzedza nieco krew, poprawia przyswajanie wapnia w organizmie. Zawiera dużo łatwo przyswajalnych witamin i mikroelementów.

– *ocet jabłkowy*

przepis:

¾ słoja obierek z jabłek (jabłka, z których zawsze ocet się udaje, to papierówki i kronselki, czyli stare odmiany), zalać przegotowaną, chłodną i osłodzoną wodą (1 łyżkę cukru najlepiej nieoczyszczonego lub miodu na szklankę wody), odstawić na 3 – 4 tygodnie, a następnie przelać do butelek. Ocet winien być klarowny i mieć słomkowy kolor.

II śniadanie

– *dla niejadków*

przepis:

zmielone płatki owsiane
zmielona kasza jaglana
zmielone ziarno sezamu
zmielone pestki dyni

Wymieszane składniki najlepiej przechowywać w szklanym słoiku.

Do garnka wlać 1½ szklanki ciepłej wody, wsypać 1 łyżeczkę kakao i 3 łyżki mieszanki, dodać 1 łyżeczkę miodu. Dokładnie zmiksować, zagotować. Wypić ciepły.

Taki energetyczny napój można przygotować w pracy, zaspokoi głód, doda energii do życia. Dzieciom i młodzieży napój ten należy podawać na gotowanym mleku.
obiad – I danie

– *zupa kalafiorowa*

przepis:

do garnka włożyć 30 dag cielęciny z kością, wlać 3 litry wody, dodać 1 płaską łyżkę soli kamiennej, ziołowe przyprawy (pieprz ziołowy, bazylia, zmielony kminek, majeranek, lebiodka). Zagotować, a następnie na małym ogniu gotować około 1½ godziny. Następnie włożyć pokrojone 4 marchewki, 1 pietruszkę, kawałek selera, 4 ziemniaki, kilka gronek kalafiora, 1 cebulę.
Pod koniec gotowania wsypać drobno pokrojoną zieleninę – natkę pietruszki, szczypiorek czy koperek. Polecam też świeże zioła. Do smaku można przyprawić przecierem pomidorowym.

obiad – II danie

– *ryba duszona w warzywach*

przepis:

każdy kawałek ryby posolić i posypać przyprawami ziołowymi, odstawić na ½ godziny. Następnie do blaszki wlać 1 szklankę wywaru z wcześniej ugotowanych warzyw, ułożyć kawałki ryby, a na nie delikatnie położyć starte na grubej tarce ugotowane warzywa. Piec w piekarniku około 20 – 25 minut. Pod koniec pieczenia dodać można nieco przecieru pomidorowego lub odrobinę chrzanu. Spożywać ciepłe, można z kiszoną kapustą, a nawet z marynowaną papryką czy grzybkami marynowanymi.

kolacja

– *sałatka ryżowa z cukinią*

przepis:

ugotować 1 filiżankę ryżu, posolić, dodać przyprawy ziołowe. Drobno pokrojoną cukinię wsypać na patelnię, wlać kilka łyżek wody, przyprawić do smaku. Na małym ogniu, pod przykryciem dusić około 15 minut. Cukinię wymieszać z wcześniej przygotowanym ryżem, dodać 5 łyżek lnianego oleju, drobno pokrojoną ziołową zieleninę. Sałatkę spożywać ciepłą.

III zestaw – na co dzień

I śniadanie

– *napój poranny*

II śniadanie

– *polewka ze zbóż*

przepis:

znajduje się w rozdziale „Energetyczne pożywienie”.

obiad – I danie

– *zupa pomidorowa*

przepis:

do 2 l. wody wsypać tymianek, pieprz ziołowy, szczyptę imbiru, zmielony kminek, 1 płaską łyżeczkę soli kamiennej. Następnie wlać koncentrat pomidorowy. Zagotować, a następnie na małym ogniu ogrzewać około 20 minut. Pod koniec gotowania dodać 1 zmiażdżony ząbek czosnku, wsypać drobno pokrojony koperek i natkę pietruszki. Można zabielić słodkim mlekiem lub słodką śmietaną. Zupę pomidorową podawać z ryżem nieoczyszczonym. Smakuje również z płatkami owsianymi.

obiad – II danie

– *cielęcina duszona z jarzynami*

przepis:

½ kg cielęciny pokroić w paseczki, posolić, dodać ziołowe przyprawy. Włożyć do brytfanki, wlać ½ szklanki wody, piec około 1½ godziny. Podawać ciepłą z warzywami gotowanymi. Wybornie smakuje z ćwikłą.

kolacja

– *ziemniaki pieczone*

przepis:

1 kg ziemniaków równej wielkości, sól, ziołowe przyprawy, masło śmietankowe.
Ziemniaki umyć, obrać, przekroić na pół. Włożyć do żaroodpornego naczynia, wlać 3 – 4 łyżki wody, posypać solą i ziołowymi przyprawami. Piec w piekarniku około 1 godziny. Podawać ciepłe z masłem i kapustą kiszoną.

IV zestaw – na co dzień

I śniadanie

– *napój poranny lub napój miodowy*

II śniadanie

– *kasza jaglana na słodko*

przepis:

do garnka wsypać ½ szklanki umytej kaszy jaglanej, kilka rodzynek, wlać 1½ szklanki wody. Zagotować, a następnie na małym ogniu ogrzewać około 10 minut. Odstawić z ognia i pod przykryciem pozostawić kaszę na 10 – 15 minut. Ciepłą wyłożyć do salaterki, dodać ½ łyżeczki cynamonu, szczyptę imbiru lub

kardamonu, 1 łyżeczkę miodu, 1 łyżeczkę zmielonych ziaren sezamu. Smakuje jak makaron dobrej jakości.
Jeśli po ugotowaniu kasza jaglana jest twarda i gorzka, należy ją wyrzucić, ponieważ jest stara i zjełczała.

obiad – I danie

– *zupa jarzynowa*

przepis:

30 dag cielęciny wrzucić do garnka, wlać 3 litry wody, dodać sól kamienną i ziołowe przyprawy. Zagotować, a następnie na małym ogniu gotować około 1½ godziny. Następnie wrzucić do wywaru drobno pokrojone 4 marchewki, 1 pietruszkę, ½ selera, 4 ziemniaki. Gotować około 20 minut, pod koniec dodać pokrojoną natkę pietruszki, szczypiorek, koper.

obiad – II danie

– *kapusta duszona z pomidorami*

przepis:

do ½ litra wrzącej wody wsypać 2 garście poszatkowanej kapusty. Dodać sól kamienną, ziołowe przyprawy, 3 drobno pokrojone pomidory, wcześniej obrane ze skórek. Zagotować, a następnie na małym ogniu gotować około ½ godziny. Następnie dodać starte na grubej tarce 2 marchewki, 1 pietruszkę, kawałek selera. Gotować jeszcze 20 minut. 1 cebulę zeszklić na oleju z oliwek (3 łyżki), przełożyć do garnka z kapustą, wymieszać.
Kapustę podawać ciepłą z ziemniakami.

kolacja

– *galaretka z mięsa mielonego*

przepis:

mięso z zupy zemleć w maszynce. 2 łyżki żelatyny wymieszać w małej ilości zimnej wody, wlać do 1 szklanki przecedzonego wywaru z zupy. Mieszając, doprowadzić do wrzenia, ostudzić. Krzepnącą galaretkę wymieszać ze zmielonym mięsem. Wstawić do lodówki. Spożywać z gotowanymi warzywami lub ryżowym pieczywem. Galaretka jest smaczniejsza z odrobiną octu jabłkowego lub soku cytrynowego.

V zestaw – na co dzień

I śniadanie

– *syrop z czerwonego buraczka*

przepis:

1 kg buraczków starannie umyć, włożyć do garnka, wlać 3 litry wody, gotować około 2 godzin. Wyjąć z wywaru, obrać i utrzeć na grubej tarce. Wsypać do wywaru, gotować jeszcze około 1 godziny. Gdy wystygnie, przetrzeć przez sito. Dodać ½ litra płynnego miodu. Całość ogrzewać około 15 minut. Przelać gorące do słoików, zawekować, najlepiej gorące wstawić pod koc. Taki syrop ma ogromną wartość energetyczną, z rana pobudza organizm do życia.
4 łyżki syropu wlać do szklanki ciepłej, przegotowanej wody, wypić powoli.

II śniadanie

– *płatki owsiane z jabłkami*

przepis:

½ szklanki płatków owsianych wsypać do garnka, wlać 1 szklankę wody, dodać kilka rodzynek, 2 obrane, drobno pokrojone jabłka, gotować na małym ogniu około 15 minut. Wyłożyć ciepłe do salaterki, dodać nieco cynamonu i 1 łyżkę zmielonego ziarna sezamu.

obiad – I danie

– *zupa krupnik*

przepis:

kawałek mięsa z koguta wiejskiego lub indyka wrzucić do garnka, wlać 3 litry wody, dodać sól kamienną i ziołowe przyprawy. Gotować około 1½ godziny. Dodać drobno pokrojone 4 marchewki, 1 pietruszkę, kawałek selera i 5 łyżek kaszy jęczmiennej. Pod koniec gotowania wsypać pokrojoną zieleninę.

obiad – II danie

– *pierogi z mięsem i soczewicą*

przepis:

farsz: 20 dag soczewicy ugotować, mięso z zupy i soczewicę przekręcić przez maszynkę, dodać jedną cebulę drobno pokrojoną, 1 jajko, kawałek bułki grahamki rozmiękczonej w wodzie. Masę wymieszać, dodać sól oraz przyprawy do smaku.
ciasto: 25 dag mąki białej, 25 dag mąki graham, nieco bardzo ciepłej wody, 1 jajko, ciasto zagnieść, robić małe pierogi, podawać z olejem z oliwek i zeszkloną cebulą.

kolacja

– *pasta selerowa*

przepis:

seler umyć, obrać, opłukać, zetrzeć na tarce z małymi otworami. Ugotowane jajko obrać, posiekać, cebulę drobno pokroić. Wszystkie składniki wymieszać, dodać 2 łyżki oleju lnianego lub sezamowego, doprawić do smaku solą, pieprzem ziołowym, posypać natką pietruszki. Spożywać z ryżowym pieczywem.

VI zestaw – na co dzień

I śniadanie

– *winko św. Hildegardy*

przepis:

do garnka wlać butelkę wina białego, gronowego, wytrawnego, wrzucić pęczek natki pietruszki, 2 łyżki owoców głogu, gotować około 15 minut. Przecedzić, dodać 3 łyżki octu jabłkowego lub soku z cytryny i 5 łyżek miodu, wymieszać i jeszcze raz zagotować. Rozlać do butelek. Wlać 4 łyżki do szklanki ciepłej wody, wypić powoli. Winko wzmacnia organizm, zapewnia zdrowie.

II śniadanie

– *kisiel owsiany*

przepis:

znajduje się w rozdziale „Energetyczne pożywienie".

obiad – I danie

– *zupa fasolowa*

przepis:

1 szklankę fasoli moczyć w zimnej wodzie 2 – 3 godziny, wodę odlać. Fasolę wsypać do garnka, wlać świeżą wodę, dodać sól kamienną i ziołowe przyprawy, gotować aż będzie miękka. Pod koniec gotowania wrzucić warzywa starte na tarce i 3 łyżki skwarek z boczku. Na koniec dodać drobno pokrojoną natkę pietruszki, koperek, ewentualnie świeże zioła.

obiad – II danie

– *pulpety z ryby*

przepis:

60 dag filetów z morszczuka lub dorsza, 50 dag warzyw (marchew, pietruszka, seler) 1 jajko, 2 łyżki tartej bułki, 1 łyżka pasty pomidorowej, natka pietruszki, koperek, sól, przyprawy.

Filety z ryby umyć, zemleć w maszynce do mięsa, do mielonej ryby dodać jajko, tartą bułkę, natkę pietruszki, sól, ziołowe przyprawy. Wymieszać składniki bardzo dokładnie. Z masy rybnej uformować kotleciki. Umyte warzywa ugotować, wyjąć z garnka, a do wywaru włożyć pulpety. Gotować ok. 10 min. Pod koniec gotowania dodać utarte na tarce warzywa, a także pastę pomidorową. Doprawić do smaku. Podawać na ciepło.

kolacja

– *sałatka z gotowanych ziemniaków*

przepis:

1 kg ziemniaków dokładnie umyć i ugotować w mundurkach. Obrać, pokroić w kostkę, dodać kilka ogórków startych na grubej tarce, a także drobno pokrojoną zieleninę. Przyprawić do smaku, na końcu wlać kilka łyżek oleju lnianego. Całość starannie wymieszać.

VII zestaw – świąteczny

I śniadanie

– *napój miodowy*

II śniadanie

– *ryż nieoczyszczony z jabłkami*

przepis:

2 szklanki gotowanego, nieoczyszczonego ryżu, ½ kg jabłek, 3 łyżki cukru nieoczyszczonego, cynamon, szczyptę imbiru, 2 łyżki masła, tarta bułka.

Żaroodporne naczynie posmarować masłem i posypać tartą bułką. Jabłka pokroić w cienkie plasterki, usuwając gniazda nasienne. W przygotowanym naczyniu układać warstwami wymieszany z masłem ryż i jabłka. Każdą warstwę jabłek posypać cukrem, cynamonem, imbirem. Pierwszą i ostatnią warstwę powinien stanowić ryż. Potrawę zapiekać w piekarniku, powierzchnia musi się delikatnie zarumienić, podawać na ciepło.

obiad – I danie

– *barszcz ukraiński*

przepis:

cielęcina z kością, ½ szklanki fasoli, 4 marchewki, 1 pietruszka, kawałek selera, 1 buraczek, 1 ząbek czosnku, kawałek białej kapusty, 1 ogórek kiszony, natka pietruszki, koperek. Do wrzącej wody wrzucić mięso i fasolę, dodać sól kamienną i ziołowe przyprawy. Pod koniec gotowania wsypać starte na grubej tarce warzywa, gotować do miękkości. Posypać zieleniną.

obiad – II danie

– *karkówka pieczona*

przepis:

schab karkowy posolić, a następnie natrzeć mięso pieprzem ziołowym wymieszanym ze słodką papryką i kurkumą, na samym końcu posypać majerankiem. Odstawić na kilka godzin. Przełożyć do blaszki, wlać 1 szklankę wody i 1 szklankę wina czerwonego, gronowego, wytrawnego. Piec około 2,5 godziny w mocno nagrzanym piekarniku. Można podawać z pieczonymi ziemniakami, z gotowanymi warzywami, kapustą kiszoną.

podwieczorek

– *pychotki z ziaren sezamu*

przepis:

10 łyżek zmielonych ziaren sezamu, 3 łyżki miodu naturalnego płynnego, garść małych rodzynek, 1 łyżeczkę cynamonu starannie wymieszać, uformować kuleczki, posypać wiórkami kokosowymi.

– *kompot z suszonych owoców*

przepis:

znajduje się w rozdziale „Energetyczne pożywienie"

kolacja

– *sałatka z soczewicy*

przepis:

1 szklankę ugotowanej soczewicy, 2 pokrojone w kostkę pomidory, 2 drobno pokrojone cebule lub pęczek szczypiorku, 3 łyżki oleju lnianego – składniki dokładnie wymieszać. Aromatu dodają jej świeże zioła, np. bazylia, majeranek czy tymianek.

II TYDZIEŃ

I zestaw – na co dzień

I śniadanie

– *napój poranny*

II śniadanie

– *placuszki z marchewki z ziarnem sezamu*

przepis:

6 ugotowanych marchewek zetrzeć na tarce, dokładnie wymieszać z 10 łyżkami ziarna sezamu i garścią rodzynek. Uformować placuszki. Piec w rozgrzanym piekarniku 15 – 20 minut. Placuszki można przygotować poprzedniego dnia, rano podgrzać, wybornie też smakują na zimno. Pyszne i niezwykle zdrowe śniadanie, szczególnie wygodne dla pracujących.

obiad – I danie

– *barszcz czerwony*

przepis:

niewielki kawałek wołowiny z kością, 4 buraczki, 1 łyżkę soku cytrynowego, 3 – 4 grzybki suszone, kwaśne jabłko, sól, przyprawy. Do wrzącej wody wrzucić mięso, dodać grzybki suszone, a także sól kamienną i ziołowe przyprawy. Gotować ok. 1½ godz. Następnie wrzucić drobno pokrojone buraczki i starte na tarce kwaśne jabłko, dodać sok cytrynowy. Gotować około ½ godziny, na koniec wsypać drobno pokrojoną zieleninę.

Barszczyk można podawać z pączkami ziemniaczanymi. Smakuje też z ziemniakami okraszonymi olejem lnianym – danie proste, ale pożywne i odchudzające.

obiad – II danie

– *pączki ziemniaczane z mięsem*

przepis:

½ kg ziemniaków, 1 szklanka mąki pszennej, ½ szklanki mąki graham, 1 jajko.
farsz: kawałek mięsa wołowego ugotowanego w barszczu, 1 szklanka ugotowanej soczewicy, 1 jajko, 1 cebulę, ½ bułeczki grahamki rozmiękczonej w wodzie, przekręcić przez maszynkę. Ziemniaki też przekręcić przez maszynkę, dodać mąkę, jajko, zagnieść ciasto. Formować wałki, kroić lekko skośne kluski. Zrobić placuszek i do środka włożyć farsz. Ugotować, podawać ciepłe z duszoną cebulką i barszczykiem.

– *cebulka duszona z olejem lnianym*

przepis:

2 główki cebuli, jeśli mniejsze mogą być nawet 4, obrać, pokroić drobno, wysypać na rozgrzaną patelnię, dodać ½ szklanki wody,

przyprawić do smaku solą kamienną, pieprzem ziołowym, dodać nieco kardamonu, można świeżą bazylię czy majeranek.
Gdy cebula dobrze się rozgrzeje, zmniejszyć ogień, pod przykryciem dusić około 15 – 20 minut. Pod koniec duszenia dodać 3 łyżki oleju lnianego.

kolacja

– *sałatka z soczewicy z jajkiem*

przepis:

znajduje się w rozdziale „Energetyczne pożywienie".

II zestaw – na co dzień

I śniadanie

– *napój miodowy*

II śniadanie

– *placuszki owsiano-sezamowe na ciepło*

przepis:

10 łyżek ugotowanych płatków owsianych, 10 łyżek zmielonego ziarna sezamu, 1 jajko, garść rodzynek, dokładnie wymieszać. Uformować placuszki, piec w piekarniku 15 – 20 minut.

obiad – I danie

– *zupa koperkowa*

przepis:

4 marchewki, 1 pietruszka, kawałek selera, 4 ziemniaki, 2 pomidory, 2 łyżki masła, koperek, sól kamienna, ziołowe przyprawy
Warzywa pokrojone w kostkę wrzucić na wrzącą wodę, dodać sól kamienną i przyprawy, gotować około 20 minut. Pod koniec gotowania dodać masło i pęczek drobno pokrojonego koperku.

obiad – II danie

– *gołąbki z mięsem i warzywami*

przepis:

do garnka wrzucić 30 dag cielęciny, 4 marchewki, pietruszkę, seler, 3 buraczki, czerwone, dodać sól kamienną i ziołowe przyprawy, ugotować.
Mięso i warzywa wyjąć z rosołu, przestudzić. Mięso zemleć, a warzywa zetrzeć na grubej tarce. Wymieszać, dodać sól kamienną i ziołowe przyprawy.
Wrzącą wodą sparzyć liście kapusty, wypełnić mięsno – warzywnym farszem, zawinąć liście, gołąbki gotować we wcześniej przygotowanym rosole z dodatkiem przecieru pomidorowego. Podawać na ciepło.

kolacja

– *pierogi z kaszy jaglanej*

przepis:

kaszę jaglaną ugotować na wodzie, dodać do niej drobno posiekane suszone jabłka, śliwki, daktyle, rodzynki i odrobinę miodu. Wszystkie składniki wymieszać. Zagnieść ciasto, zrobić pierogi, podawać ciepłe z masłem. Wybornie smakują z konfiturami z płatków dzikiej róży.

III zestaw – na co dzień

I śniadanie

– *kisiel z siemienia lnianego z anyżkiem*

przepis:

1 łyżkę ziarenek siemienia lnianego i 1 łyżeczkę ziarenek anyżku wsypać wieczorem do szklanki, zalać wrzącą wodą – rano podgrzać, przecedzić, dodać nieco miodu lub soku owocowego. Kisiel ten wspomaga pracę układu pokarmowego, jest niezwykle cenny przy zaparciach, leczy także oskrzela, szczególnie zaś wtedy, gdy są zaflegmione.

Siemię lniane odtłuszczone nie zawiera oleju lnianego, który odżywia organizm i przyspiesza spalanie tłuszczy.

II śniadanie

– *kasza jaglana z gotowanymi warzywami*

przepis:

kilka łyżek ugotowanej kaszy jaglanej, kilka łyżek startych na grubej tarce ugotowanych warzyw włożyć do brytfanki, zapiec. Podawać z drobno posiekaną zieleniną i masłem.

obiad – I danie

– *zupa selerowo-pokrzywowa z ryżem*

przepis:

5 łyżek nieoczyszczonego ryżu i warzywa utarte na grubej tarce – 4 marchewki, 1 pietruszkę, 1 seler – wsypać do garnka z wrzącą wodą. Dodać sól kamienną i ziołowe przyprawy. Gotować około 20 minut. Pod koniec gotowania dodać 2 łyżki masła, 4 łyżki drobno pokrojonej świeżej pokrzywy lub 2 łyżki ususzonej. Może też być inna zielenina.

obiad – II danie

– *kotleciki wołowe gotowane*

przepis:

½ kg ugotowanej wołowiny, 2 – 3 łyżki tartej bułki, 1 bułeczka namoczona w wodzie, 3 łyżki drobno pokrojonej natki pietruszki, 1 jajko, sól, ½ kg mieszanych warzyw, przyprawy.
Mięso i bułeczkę zemleć w maszynce, dodać jajko, natkę pietruszki, sól, przyprawy. Uformować kotlety. Warzywa ugotować. Kotlety włożyć do rondla, zalać wrzącym wywarem z warzyw, obłożyć warzywami, dodać przyprawy. Gotować pod przykryciem około 15 minut. Podawać z gotowanymi warzywami.

kolacja

– ziołowe placuszki z odrobiną masła

przepis:

znajduje się w rozdziale „Energetyczne pożywienie".

IV zestaw – na co dzień

I śniadanie

– *napój poranny*

II śniadanie

– *polewka ze zbóż*

przepis:

znajduje się w rozdziale „Energetyczne pożywienie".

obiad – I danie

– *zupa pietruszkowa z kaszą jaglaną*

przepis:

30 dag cielęciny włożyć do garnka z wrzącą wodą, posolić, dodać przyprawy ziołowe. Gotować około 1½ godziny. Następnie wsy-

pać drobno pokrojone 3 marchewki, 3 pietruszki, kawałek selera, 4 ziemniaki i garść umytej kaszy jaglanej. Pod koniec gotowania dodać drobno pokrojony pęczek świeżej pietruszki, może być też świeży koperek czy inna ziołowa zielenina.

obiad – II danie

– *bigos z grzybkami*

przepis:

½ kg kiszonej kapusty, ½ kg świeżej kapusty, 1 szklankę umytych, suszonych grzybków, 4 szklanki wody, dodać przyprawy ziołowe, można kilka śliwek
suszonych, kilka ziarenek jałowca, gotować około 2 – 3 godzin. Pod koniec gotowania wlać 5 łyżek oleju lnianego. Całość wymieszać i zagotować.
Można też dodać drobno pokrojoną cielęcinę z zupy.
Bigos polecam z pieczonymi ziemniakami.

kolacja

– *jabłka pieczone z ziarnem sezamu*

przepis:

ubić białka z 2 jajek na sztywną pianę
8 łyżek ziarna sezamu, wymieszać z białkami, 2 łyżkami płynnego miodu i 2 łyżeczkami cynamonu
4 duże jabłka obrać, wydrążyć środki, pokroić w talarki
Każdy kawałek jabłka zanurzyć w przygotowanej masie sezamowej. Brytfankę posmarować masłem i posypać zmielonym ziarnem sezamu. Ułożyć jabłka, piec w rozgrzanym piekarniku 15 minut.

V zestaw – na co dzień

I śniadanie

– *napój z miodem pokrzywowym*

przepis:

młodą pokrzywę umyć, osączyć, zrobić sok w sokowirówce – jedną szklankę soku i pięć szklanek miodu, dobrze wymieszać, wlać do słoików, postawić najlepiej w piwnicy lub w lodówce.
2 – 3 łyżki miodu pokrzywowego wlać do szklanki, dopełnić ciepłą wodą. Napój jest odżywką dla organizmu.

II śniadanie

– *kasza gryczana z duszoną cebulą*

przepis:

2 główki cebuli, jeśli mniejsze mogą być nawet 4, obrać, pokroić drobno, wysypać na rozgrzaną patelnię, dodać ½ szklanki wody, przyprawić do smaku solą kamienną, pieprzem ziołowym, dodać nieco kardamonu, można świeżą bazylię czy majeranek.
Gdy cebula dobrze się rozgrzeje, zmniejszyć ogień, pod przykryciem dusić około 15 – 20 minut. Pod koniec duszenia dodać 3 łyżki oleju lnianego. Duszoną cebulkę podawać z ugotowaną kaszą gryczaną.

obiad – I danie

– *krupnik z przecierem pomidorowym*

przepis:

wsypać do garnka 5 łyżek umytej kaszy jęczmiennej, a także starte na tarce warzywa – 3 marchewki, 1 pietruszkę, kawałek selera – wlać 2 litry wody, dodać sól kamienną i ziołowe przyprawy, gotować 20 minut. Pod koniec gotowania dodać 2 łyżki skwarek z boczku, a także ziołową drobno pokrojoną zieleninę.

obiad – II danie

– *fasolka z dynią i marchewką*

przepis:

2 szklanki fasoli umyć, zalać wodą i pozostawić na noc. Rano wodę odlać, fasolę wsypać do garnka, wlać świeżą wodę, gotować aż będzie miękka. Pod koniec gotowania wrzucić starte na grubej tarce marchewkę i dynię, doprawić do smaku solą kamienną i przyprawami ziołowymi. Następnie dodać 3 łyżki skwarek z boczku, majeranek, kminek, można drobno pokrojoną natkę pietruszki i koperek.

kolacja

– *pasta rybna*

przepis:

wędzoną rybę obrać z ości, zemleć razem z 2 gotowanymi na twardo jajkami i gotowanymi warzywami, dodać 1 łyżkę masła, soli kamiennej do smaku, ziołowe przyprawy, drobno pokrojoną natkę pietruszki, szczypiorek i koper. Starannie wymieszać. Można spożywać z ryżowym pieczywem albo z ziołowymi placuszkami.

VI zestaw – na co dzień

I śniadanie

– *wywar z rodzynek*

przepis:

1łyżkę rodzynek wsypać do metalowego kubka, wlać 1½ szklanki wody, zagotować, a następnie pod przykryciem naciągać 15 minut. Wywar wypić, rodzynki zjeść. Napój wzmacnia serce, reguluje trawienie.

II śniadanie

– *kasza jaglana z konfiturami z płatków dzikiej* róży

przepis:

1 szklankę ugotowanej, ciepłej kaszy jaglanej, 1 łyżkę zmielonych ziaren sezamu, 2 łyżki konfitur z płatków dzikiej róży. To wytworne śniadanie wzmocni nerwy.

obiad – I danie

– *zupa kalafiorowa z płatkami owsianymi*

przepis:

1 mały kalafior, 3 marchewki, 1 pietruszkę, kawałek selera – pokrojone drobno warzywa wsypać do garnka, wlać 2 litry wody. Dodać sól kamienną, przyprawy ziołowe i 3 łyżki płatków owsianych. Pod koniec gotowania dodać 2 łyżki masła i pokrojoną zieleninę.

obiad – II danie

– *kotlety z jajek i fasoli*

przepis:

5 ugotowanych jajek, 1 szklankę ugotowanej fasoli zemleć w maszynce do mięsa, dodać ziołowe przyprawy, sól kamienną do smaku, drobno pokrojoną natkę pietruszki, koperek, żeby odpowiednio zagęścić wsypać tartą bułkę, wymieszać. Uformować kotleciki, wyłożyć na blaszkę, zapiec w piekarniku. Podawać ciepłe z warzywami gotowanymi, można dodać ogórki kiszone.

kolacja

– *pasztet z cielęciny*

przepis:

½ kg cielęciny, 30 dag wątróbki cielęcej,

3 marchewki, 1 pietruszka, ½ selera,
sól kamienna, ziołowe przyprawy,
2 bułki grahamki,
1 łyżka masła,
4 łyżki posiekanej pietruszki, 2 jajka.
Mięso umyć, włożyć do wrzącej wody, dodać przyprawy i sól kamienną, ugotować. Gdy mięso będzie miękkie, dodać wątróbkę i warzywa. Mięso, warzywa i wątróbkę wyjąć z gorącego wywaru. Włożyć do niego 2 bułeczki grahamki. Wszystkie składniki przekręcić przez maszynkę, dodać 2 jajka i dokładnie utrzeć. Przyprawić do smaku. Masę włożyć do słoików ½ litrowych, zakręcić. Słoiki włożyć do garnka z ciepłą wodą, gotować na wolnym ogniu około godziny. Wekowanie powtórzyć 2 – 3 razy. Gdy pasztet wystygnie, wstawić do lodówki. Można spożywać z placuszkami ziołowymi, z ryżowym pieczywem.

VII zestaw – świąteczny

I śniadanie

– *napój miodowy*

II śniadanie

– *placuszki z jajek*

przepis:
zemleć 4 jajka ugotowane na twardo i ugotowane warzywa. Dodać 1 łyżkę masła, pęczek drobno pokrojonej zieleniny, posolić, a także wsypać ziołowe przyprawy. Dokładnie wymieszać. Uformować placuszki, posypać tartą bułką, zapiec w piekarniku. Można do nich podawać pomidory pokrojone w kostkę z cebulą i olejem lnianym.

obiad – I danie

– *grochówka*

przepis:

½ kg cielęciny włożyć do garnka, wlać 3 litry wody, dodać 2 szklanki grochu, także sól kamienną i ziołowe przyprawy, ugotować. Pod koniec gotowania wsypać utarte na tarce 4 ziemniaki, 4 marchewki, 1 pietruszkę, kawałek selera. Posypać majerankiem, można do smaku dodać drobno pokrojoną natkę pietruszki, ewentualnie szczypiorek.

obiad – II danie

– *haché z cielęciny*

przepis:

mięso z zupy, a także gotowane warzywa – 4 marchewki, 1 pietruszkę, kawałek selera – zemleć. Dodać 1 łyżkę masła, 1 żółtko i drobno pokrojoną zieleninę. Przyprawić do smaku solą kamienną i ziołowymi przyprawami.
Z przygotowanej masy formować wałki 12 – 14 cm. Gotowe haché ułożyć w brytfannie, skropić wywarem z zupy lub wodą, zapiec w piekarniku. Podawać z ziemniakami oraz sałatką z buraczków.

podwieczorek

– *kuleczki z płatków owsianych*

przepis:

½ kg płatków owsianych wstawić na 15 minut do nagrzanego piekarnika. Do garnka wsypać 4 łyżki kakao, 1 łyżeczkę cynamonu, szczyptę kardamonu, wlać ½ litra miodu, zagotować, a następnie dodać uprażone płatki owsiane, całość dokładnie wymieszać. Z letniej masy formować kuleczki, można je posypać wiórkami kokosowymi. Są pyszne, zdrowe i dla dorosłych, i dla dzieci. Kuleczki mają dużo kalorii, więc podczas odchudzania nie przesadzać z nimi. Jedna nie zaszkodzi, z pewnością zdrowsza od słodyczy kupionych w sklepie.

kolacja

– *pasta sojowa*

przepis:

zemleć 1 szklankę ugotowanej soi, dodać łyżkę masła, pokrojone 3 cebulki, doprawić do smaku solą kamienną, pieprzem ziołowym, papryką, zmielonym kminkiem. Wymieszać, posypać drobno pokrojoną zieleniną. Można spożywać z ryżowym pieczywem lub bułeczką grahamką.

Żywność uprawiana w sposób naturalny

Wybierajmy żywność zdrową, nieprzetworzoną, uprawianą w sposób naturalny. Gospodarstwa duże, produkcyjne z pewnością mają wysokie plony, ale niestety żywność w nich wyprodukowana jest bezwartościowa dla naszego organizmu. Ziemia, którą uprawia się w sposób sztuczny staje się martwa, wyjałowiona, a do tego mocno zanieczyszczona chemicznymi środkami.

Pozostają więc nam gospodarstwa ekologiczne, gdzie ziemię uprawia się w sposób naturalny. Takie pożywienie z pewnością będzie droższe, ale zdrowsze, więc mniej pieniędzy wydamy na ratowanie własnego zdrowia. No i ominiemy cierpienie.

Zakończenie

Nikt nie może zwolnić nas z odpowiedzialności dbania o swoje ciało, sami jesteśmy odpowiedzialni za stan swojego zdrowia. I tylko od nas będzie zależało, jaką drogę wybierzemy – prostą do zdrowia czy prostą do choroby.

Spiesz się powoli

Tak mówi ludowe porzekadło. Drugie zaś przestrzega, że co nagle, to po diable.
Odchudzanie to również nie wyścig na czas, ale dobrze przemyślana droga, która zaprowadzi do celu. Życie jest długie, więc nie ma potrzeby zmuszać się do biegu z zadyszką, bo wyniszczymy się i fizycznie, i psychicznie. Jeśli latami pracowaliśmy na nadwagę, z pewnością trudno w ciągu miesiąca będzie zrzucić zbędne kilogramy. Taką żmudną pracę organizm powinien wykonać w swoim czasie, dlatego należy mu stworzyć warunki do pracy – stąd tak ważny jest post, energetyczne pożywienie czy w końcu zdrowe pożywienie, zdrowe herbatki ziołowe. Niepotrzebnych kilogramów silny, zdrowy organizm będzie się systematycznie pozbywał. To powinna być ewolucja.
Człowiek zaś, który decyduje się na odchudzanie wybiera raczej rewolucję, czyli szybkie, drastyczne cięcia, nie bacząc na zdrowie. Stąd sięga po cud diety i specyfiki do szybkiego spalania tłuszczu, tym samym zmusza niewydolny organizm do wytężonej pracy. Następuje więc znaczny ubytek energii, poszczególne narządy zaczynają odmawiać posłuszeństwa, cierpi serce i układ krążenia, niedomaga układ pokarmowy, słabną nerki. Kuzyn mojej znajomej w ciągu miesiąca schudł 20 kg, jednak rygorystyczna i wybitnie niezdrowa dieta sprawiła, że w krótkim czasie nowotwór uwił sobie w jego żołądku doskonałe gniazdko.

Mnie interesuje więc tylko zdrowie, bo zdrowy organizm nie pozwoli sobie na odkładanie złogów i tłuszczy, nie pozwoli też, by na jego terytorium wtargnął rak – rozbójnik.

Nowoczesność zaś często oferuje drogę na skróty, z pozoru prostą, łatwą i przyjemną, ale podstępną, czasem złowrogą. Należy więc jak ze wszystkim w życiu wrócić do mądrości, wszak tylko ona wskaże właściwe rozwiązania i poprowadzi właściwą drogą. Trudna droga? – być może, ale prawdziwe życie nie lubi łatwych rozwiązań, stąd zło zjawia się szybko, a dobro należy budować latami.

Spis treści

Kwiatków Ziemi Polskiej nie oddamy!

Zioła są pełne miłości, wszak są owocem ogromnej miłości Stwórcy do człowieka. Bóg stwarzając zioła dał człowiekowi szansę na zdrowe życie, bowiem zawierają one wszystko, co do życia jest mu potrzebne.

Wybitny poeta, humanista i ksiądz Jan Twardowski słusznie zauważył, że zioła pamiętają biblijny raj. Nikt na przestrzeni tysiącleci tej Bożej doskonałości nie śmiał naruszać. Jednak coraz mocniejszy krzyk da się słyszeć w całej Europie, również w Polsce, że Organizacja Narodów Zjednoczonych do spraw Wyżywienia i Rolnictwa (FAO) oraz Światowa Organizacja Zdrowia (WHO), a także unijni urzędnicy przygotowują zamach na zdrowie ziemi, zdrowie roślin nań rosnących, zamach na zioła, a w konsekwencji jest to zamach na wolność człowieka.
Problem jest poważny i jeśli narody Europy nie przeciwstawią się stanowczo tym urzędniczym kombinacjom, za kilka lat możemy obudzić się w chemiczno – absurdalnym świecie.

Od 1. stycznia 2010 roku mieszkańcy UE na mocy dyrektyw unijnych mają utrudniony dostęp do ziół, suplementów, a tym samym terapii naturalnych. Czy również takie ograniczenia są w Polsce? Na razie nasi urzędnicy w tym względzie wprowadzają totalny bałagan i konia z rzędem temu, kto się w tym wszystkim połapie. A jeśli się nie połapie, to musi przywyknąć do prawa, które z tego chaosu powstanie. Póki co już Ministerstwo Zdrowia wydało rozporządzenie, na mocy którego ze sklepów zielarskich ma zniknąć około 400 środków leczniczych. Od tej pory po te tabletki, które były dostępne nie tylko w sklepach ziołowo – medycznych, ale także na stacjach benzynowych, w supermarketach, będziemy musieli udać się do apteki. I być może nic w tym złego by nie było, gdyby nie fakt, że sklepy ziołowe z samej sprzedaży ziół się nie utrzymają. Mogą więc w niedługim czasie samoistnie znikać przyjazne człowiekowi małe sklepiki z ziołami. Takie więc z pozoru nieszkodliwe rozporządzenie rządowe może skutecznie ograniczyć nam dostęp do polskich ziół.

Lecz na ziołach nie kończy się lista prawnej twórczości światowych i unijnych fachowców. Bardzo poważnie zajęli się również zdrowym pożywieniem – według ich norm również żywność produkowana w gospodarstwach ekologicznych i tradycyjnych będzie poddawana napromieniowaniu, standardem ma też być stosowanie pestycydów i środków chemicznych. Jeśli poszczególne rządy takie dyrektywy potraktują poważnie, być może za kilka lat bez specjalnego pozwolenia nie będziemy mogli w przydomowym ogródku wyhodować dla siebie warzyw czy owoców bez chemii.

To wydaje się niedorzeczne, ale możliwe do wykonania. Pamiętam, kiedyś urzędnicy polscy w imię prawa polskiego chodzili po wsi i wyrywali w każdym przydomowym ogródku roślinki maku. I na nic się zdało tłumaczenie, że w okolicy żadnego narkomana nie było od zarania dziejów i nie będzie. Moja mamusia jednego roku zagonek obroniła, ale na drugi rok już maku nie posiała, wszak publicznie straszono wysokimi karami i więzieniem.

Jak więc takie prawa mają się do wolności, o której zapewniają politycy i polscy, i unijni, i amerykańscy. Wolność to mądrość wyboru. A jaki wybór będziemy mieli w XXI wieku? – żywność naszpikowaną chemią, napromieniowaną, czyli martwą, szkodliwą dla organizmu. Mięso pochodzące ze zwierząt karmionych antybiotykami i hormonami wzrostu. Zamiast zdrowego pożywienia i ziół według prawa będziemy mieli chorobotwórczą papkę żywieniową i tabletki syntetyczne, które mają atesty na zdrowie najlepszych instytucji naukowych. Niestety ani zdrowe pożywienie, ani zioła takich atestów nie mają, tym samym są narażone na drwiny ze strony tęgich, naukowych głów, którzy jednakże zapomnieli o tym, że ich na świecie nie było, lekarzy nie było, firm farmaceutycznych nie było i aptek nie było, a zioła radośnie rosły na polach, miedzach i łąkach i służyły jako pożywienie, a w razie choroby pomagały w dojściu do zdrowia. I bez żadnego prawa i należnego atestu to czyniły.

Mniemam, że urzędnicy albo tak pogubili się w swoim prawnym świecie, że stracili kontakt z rzeczywistością, albo czynią to z pełną świa-

domością, by manipulować milionami, bowiem jakie pożywienie, takie zdrowie.

Nietrudno zauważyć, że im więcej chemii stosuje się w polu, w przemyśle przetwórczym i w domu, tym więcej przemysł farmaceutyczny przygotowuje wymyślnych środków syntetycznych. Wyścig trwa, zaś lekarze spokojnie podają statystyki, z których wynika, że z roku na rok przybywa groźnych chorób. Profilaktykę zaś opierają na przestrzeganiu kolejnych badań, a prawdziwa profilaktyka – w jaki sposób żyć, by nie chorować – nie ma zainteresowania, bowiem chorzy to biznes.

Dla rządzących zaś biznesem winno być zdrowe społeczeństwo, żeby jednak takie było, należy przerwać łańcuch, który coraz bardziej zaciska ludzkość – chemia w polu, pożywieniu, w domu, a na końcu chemia w aptece, której zadaniem jest niwelować skutki tamtej chemii.
Dlatego zioła i zdrowe pożywienie z normami natury, a nie unijnymi to prawdziwe wyzwanie dla polityków, ale także dla zwykłych ludzi.

Należy stworzyć mądre prawo, żeby obcy, z której strony Europy by nie byli, nie mogli decydować o naszej ziemi i naszym zdrowiu. Wolności nikt nigdy nie dał nam za darmo. Feliks Konarski w wierszu „Czerwone maki na Monte Cassino" napisał, że wolność krzyżami się mierzy.
Naszej ziemi oszukiwać nie wolno, wszak każdy jej metr zroszony został polską krwią. Dlatego na niej winna wyrastać zdrowa żywność – nie ma na niej miejsca dla chemicznych i genetycznych mutantów stworzonych w hermetycznie zamkniętym naukowym świecie.

Na polskich polach i łąkach nie może też zabraknąć naszych przyjaciół ziół. One towarzyszyły od zawsze Polakom na co dzień i od święta, w czasie pokoju, a także w trudach wojennych szły razem z walecznymi rycerzami – były pod Chocimiem, by dokarmić głodnych, ale bohaterskich rycerzy hetmana Jana Karola Chodkiewicza, oblężonych przez turecką armię. Pod Wiedeń doszedł rezolutny kurdybanek, by chronić naszych przed rozlicznymi zarazami. Żywokost – urokliwy panicz Ziemi Polskiej troskliwie opatrywał żołnierskie rany. A czerwone maki na Monte Cassino „czerwieńsze są, bo z polskiej wzrosły krwi".

Nie możemy zdradzić ziół, bo wiernie służyły Ziemi Polskiej i Polakom od wieków. Były lekarzami ciał i dusz, a także w najstraszniejszych momentach naszej historii, gdy wszystko w popiół się obracało, one podnosiły śliczne główki do nieba i wskazywały nadzieję. I wszystko znów zaczynało się od początku.

Ci wierni przyjaciele narodu polskiego mają prawo tak samo jak Polacy mieszkać na Polskiej Ziemi. Muszą też stać się pełnoprawnymi partnerami tabletek chemicznych, bowiem tabletki sprawdzają się w stanach ostrych choroby, zioła zaś budują zdrowie, wprowadzają do organizmu ciepło promieni słonecznych, radość i piękno polskich pól, łąk i lasów.

Kilka lat temu grupa wysoko postawionych urzędników z Holandii padła na kolana przed urokliwymi, pachnącymi ziołami rosnącymi na polskiej łące. Dla nas widok radosnych ziół to normalność i oby taka normalność była również dla naszych dzieci i wnuków.

By jednak obronić tę normalność, winniśmy stworzyć pospolite ruszenie, które stanie do walki o zdrową przyrodę, zdrową ziemię i zdrowego człowieka. W każdej szkole, w każdej parafii, w każdym ośrodku kultury i na wsi, i w mieście, w radiu i telewizji, w prasie lokalnej i krajowej, kobiecej i społeczno – kulturalnej możemy mówić o zdrowym życiu, o zdrowej przyrodzie, możemy walczyć o zdrowie Polskiej Ziemi.

Gdy zaś obronimy polską przyrodę, będziemy silni jej mocą i nie damy się manipulować żadnym spekulantom, oszustom zarówno polskim jak i międzynarodowym, którzy w majestacie prawa chcą Boży obraz świata na chemiczną podróbkę zamienić. I kwiatków Ziemi Polskiej nie oddamy.

Cud dzieje się na naszych oczach

W książce Artura Oppmana „Legendy warszawskie" można przeczytać wzruszającą opowieść o ślicznej Syrence, która pokochała całym swoim syrenim, wrażliwym sercem wiślane fale, a także prosty lud, który zamieszkiwał urodzajne tereny wokół wesoło płynącej rzeki.

Wieczorami Syrenka wychodziła na jej brzeg i cudnie śpiewała. Śpiew jej delikatny, szczery przenosił zatroskanych mieszkańców osady do piękniejszego świata, przynosił zapomnienie, leczył ciężkie rany codziennego, trudnego życia. Był radością, która pozwalała im z nadzieją patrzeć w przyszłość.

Jednak pewnego razu okoliczni rybacy schwytali Syrenkę, by zawieźć ją na dwór możnego pana. Z trudem wiślana primadonna uwolniła się z zaciśniętych lin. Opuszczając nieprzyjazne miejsce spojrzała na urokliwe, pełne ziół nadwiślańskie łąki, na pola bogate w zboża, na sosenkowe, strojne lasy, pożegnała łagodne i życiodajne fale rzeki, a później odwróciła się w stronę stojącego nad brzegiem Wisły ludu jej bliskiego, którego szczerze pokochała i któremu wiernie służyła przez wiele lat. Odpłynęła, by w innych falach rzeki móc cieszyć się wolnością, by towarzyszyć innym, bardziej przyjaznym ludziom.

Ta piękna opowieść ma wiele wspólnego z ziołami.

Zioła śliczne, delikatne i wrażliwe jak Syrenka Warszawska służyły ludziom od tysiącleci – przekazywały nie tylko zdrowie, ale również radość, miłość, piękno. Teraz jednak nowocześni ludzie zapatrzeni w sztuczny, kolorowy świat pragną je zniewolić, stąd bez żadnego opamiętania niszczą urodzajne pola hektolitrami chemii. Zioła więc bezradne, samotne, opuszczone, często wydrwione odchodzą z pól i poszukują dla siebie bardziej przyjaznego miejsca.

Głęboko wierzę w to, że takie miejsce znajdą dla siebie, ale wyniszczona chemią Matka – Ziemia nie będzie pachniała życiem, nie będą też życiem pachniały plony, które wyrosną ze skażonej ziemi. Kar-

mione chemią, będą pachnieć chemią, a chemia zapachnie cierpieniem i śmiercią.
Człowiek zaś nie potrafi żyć bez chemii, choć ona jest przyczyną nieuleczalnych chorób, cierpienia często wykraczającego poza ludzką wytrzymałość. Cierpią również inne bezbronne istoty zamieszkujące Ziemię. One jednak w przeciwieństwie do ludzi nie mają ani lekarza, ani aptek z arsenałem broni medycznej, ani szpitali z drogocennym sprzętem. Nie mogą też podjąć akcji strajkowej, by w ten sposób zwrócić uwagę gospodarzy Ziemi na swoją beznadziejną sytuację.

Aż kiedyś obudzimy się przerażeni, bo zobaczymy sztuczny, koszmarny świat – bez śpiewu ptaków, bez radosnego gaworzenia owadów, bez kwiatków polnych, bez szumu drzew. Przerażająca chemiczna cisza. W niebezpiecznym kierunku zmierza nasza cywilizacja. Okrutna cywilizacja chemii – wszechobecna chemia w polu, w domu, w aptece wyniszcza przyrodę, a tym samym człowieka, stąd śmierć ma coraz straszniejsze oblicze.

Ale nie zastanawiamy się nad tym, bo w telewizji trwa kolejny show, jest kolorowo, zabawnie. Życie ma być proste, łatwe, przyjemne, bez problemu, ci z problemami są usuwani do hospicjum, umierają w samotności, w szpitalach, wśród obcych ludzi, wśród zimnej i bezdusznej aparatury medycznej.

A przecież istnieje jeszcze inny świat – świat urokliwy, przyjazny, pełen miłości, mądrości, radości. Jest jeszcze czas, by ten świat ocalić od zapomnienia. Nie warto więc oczekiwać na cud, bowiem cud dzieje się na naszych oczach, bo oto z czarnej ziemi wyrastają lekarstwa, które nie tylko leczą ciało człowieka, ale również jego duszę. W Biblii zostało napisane:

> „Pan stworzył z ziemi lekarstwa,
> a człowiek mądry nie będzie nimi gardził".

Nie gardzili więc ziołami i prości ludzie, i uczeni – od wieków bowiem zajmowali się nimi profesorowie, lekarze, specjaliści, kapłani, ojcowie zakonni, którzy jako pierwsi zakładali ogródki zielne i byli skarbnicą wiedzy ziołoleczniczej.

Zioła stanowią najstarszą wiedzę medyczną, są też źródłem mądrości życiowej, wynikającej z wnikliwej obserwacji natury. A jednak wielu specjalistów od chorób podważa ich skuteczność. Uszanowałabym ich poglądy, gdyby tzw. medycyna oficjalna z całym ogromnym zapleczem syntetycznych uzdrawiaczy radziłaby sobie z chorobami. Niestety chorób ciągle przybywa, a ciężko chorują i przedwcześnie umierają także wybitni znawcy przedmiotu, którzy zapewnione mają najdoskonalsze nowoczesne leczenie.

Nie jestem specjalistką od chorób, ale doskonale znam się, w jaki sposób budować zdrowie za pomocą zdrowego, właściwego pożywienia i niezwykle przyjaznych herbatek ziołowych.

Warto podjąć walkę o zdrowie, bowiem żyć i chorować to proste, ale żyć i być zdrowym jest sztuką, której trzeba się nauczyć.

Niestety takiej sztuki życiowej nie uczymy się na żadnym uniwersytecie, wszak zdrowie nie jest w cenie, choroba natomiast ma ogromną wartość, jest bowiem droga, potrzebuje wykształconego personelu medycznego, szpitali, firm farmaceutycznych, aptek, a przy tym zaangażowane są sztaby naukowców, którzy w oderwaniu od życia, usiłują badać życie, stąd nic dziwnego, że wiedza, często wykluczająca się wzajemnie, nijak się ma do mądrości, która jest zawsze jedna, prosta, przejrzysta i niepodważalna, bowiem z wszechdoskonałego dzieła naszego Pana pochodzi. Zasadne więc i niezwykle użyteczne byłoby, aby potężna światowa nauka cały swój potencjał skierowała w stronę poznania tych dzieł. Każde zioło, drzewo ma ogromną wartość dla zdrowia człowieka, bowiem fenomen natury polega na tym, że ich soki, które łudząco przypominają krew oczyszczą organizm, wzmocnią i tym samym dodadzą życiodajnej energii.

Jednak niezwykle przyjazny świat natury wciąż pozostaje zamkniętą księgą, warto więc ją otworzyć, by poznać tajemnice w niej zawarte.

Warto również zaprosić zioła do naszych nowoczesnych domów, by zajęły w nich odpowiednie miejsce zarówno w kuchni, jak i w salonie i tym samym, by umożliwiły nam powrót do życia prostego, uczciwego, sprawiedliwego i mądrego opartego na odwiecznych prawach Stwórcy tego świata.

Warto nauczyć się żyć według Bożych praw, by śpiew ptaków budził nas o poranku, by radość ziół i drzew stała się też naszym udziałem, by życiodajny pokarm wyrastał na ojczystej ziemi, by zdrowie było przywilejem dla nas i dla następnych pokoleń.

Zioła winny być partnerami tabletek ...

Stwórca powołując człowieka na Ziemię, zapewnił mu zarówno pożywienie do budowy ciała, jak i zioła do jego regeneracji.

Pewna kobieta opowiedziała mi poruszającą historię, która wydarzyła się w ostatnich miesiącach II wojny światowej. Jej mąż kończył pracę przy budowie domu, gdy przyjechali dwaj żołnierze sowieccy z wiadomością, że za nim ustawią armaty, ponieważ front będzie szedł przez wieś. Jednak zanim odjechali, jeden z nich postanowił osobiście wykonać wyrok na polskim „burżuju". To nie dom biedaka, to zamek – wykrzykiwał rozwścieczony i pistolet przystawił do głowy wystraszonego chłopa. Gdy towarzysz próbował odciągnąć go od tej bezsensownej egzekucji, moja rozmówczyni właśnie przyniosła mężowi posiłek. Widok kobiety w zaawansowanej ciąży wystraszył oprawcę, odłożył więc broń. Usiedli wszyscy do obiadu. Wtedy sołdat, który stanął w obronie Polaka, ocierając łzy, powiedział:

> „Wierzyć w Boga nie zaszkodzi,
> ale nie wierzyć może mocno zaszkodzić".

Tę prostą mądrość rosyjskiego żołnierza przytaczam tym, którzy twierdzą, że w zioła nie wierzą. W zioła tak jak w Boga można nie wierzyć, ale należy się liczyć z konsekwencjami takiej niewiary. Dusza człowieka pochodzi z duchowego świata, ale ciało z ziemi powstaje i zbudowane jest z takich samych składników, z jakich zbudowane są też inne istoty zamieszkujące naszą planetę. Stąd pokarm ze zdrowych zwierząt i roślin to najodpowiedniejszy budulec dla naszych organizmów. Mięso zapewnia energię do życia, warzywa i owoce są źródłem witamin, mikroelementów, zaś zioła to zarówno doskonałe pożywienie, jak i cenne lekarstwo. W Biblii zostało napisane:

> „Pan stworzył z ziemi lekarstwa,
> A człowiek mądry nie będzie nimi gardził".

Wszechwiedzący Stwórca innych lekarstw nam nie dał, nie otrzymaliśmy też części zamiennych, ale wyposażył nas w zioła. Te urokliwe roślinki są wiernymi sługami człowieka, od tysiącleci stoją na straży ludzkich ciał i dusz. Im przekazał substancje lecznicze w najczystszej postaci, a także moc przyjaznych promieni słonecznych, kropelek deszczu i ożywczego wiatru.

Jednak wielu ludzi powoli zapomina o ziołach, także o zdrowym, życiodajnym pożywieniu, wszak nowoczesne życie kusi pozorną, beztroską wolnością i wygodami. Nie musimy dbać o swój organizm, bowiem wyuczeni znawcy przedmiotu i wyspecjalizowane firmy farmaceutyczne mocno trzymają nasze zdrowie w swoich rękach. Jednak kolejne, coraz silniejsze tabletki nie są panaceum na wszystkie choroby, ale ich siły negować nie można. Sprawdzają się w ostrym stanie choroby, niejednokrotnie ratując życie człowiekowi. Jednak stosowane przez dłuższy czas niszczą organizm, wszak to stwory mocne, ale sztuczne. Dlatego w błędzie są ci wszyscy, niejednokrotnie bardzo wykształceni ludzie, którzy uważają, że w nowoczesnym świecie dla ziół nie ma miejsca. I skutecznie rozgłaszają fałszywe informacje, że zioła szkodzą, bowiem zamulają organizm i badania lekarskie nie są w stanie dokładnie określić zaawansowania choroby. Ta więc rozwija się niepostrzeżenie i podstępnie doprowadza do śmierci chorego. Ufam, że nie jest to świadoma manipulacja cierpiącymi, schorowanymi ludźmi, tylko zwykła ignorancja wynikająca z braku uczciwej wiedzy.

Zioła służą człowiekowi od tysiącleci, na przestrzeni tego czasu były dokładnie poznane nie tylko przez prostych ludzi, ale także przez specjalistów. W mądrych księgach można przeczytać o ich działaniu leczniczym. Przede wszystkim budują zdrowie, bowiem swoją naturalną mocą organizm oczyszczają, odżywiają, regenerują. Gdy zaś zdrowie powróci, choroba sama odejdzie.

Odrzucając zioła, odrzucamy więc jednocześnie doskonale przemyślaną Bożą koncepcję świata. Tworzymy zaś swój świat, który ma chemiczne, ponure oblicze. Agresywna chemia wdziera się wszędzie. Jeśli zaś na stałe wejdzie do naszych domów, my niestety będziemy

musieli z nich odejść. Tak jak odchodzą zioła z pól, które polewa się najczystszą chemią. Człowiek, jako istota rozumna winien zdawać sobie sprawę, że walka, którą prowadzi z przyrodą zakończy się jego klęską, bowiem przyroda całą swoją mocą wystąpi przeciw temu, który łamie jej prawa.
Świat coraz częściej wymyka się nauce spod kontroli, człowieka atakują zaś coraz groźniejsze choroby, na które często super nowoczesna medycyna nie znajduje lekarstwa.

Zmagania medycyny przypominają walkę Goliatów, z jednej strony coraz silniejsze środki medyczne, z drugiej zaś coraz okrutniejsze choroby – krwiożercza walka trwa. Biblia nie popiera takiej walki, bowiem z Goliatem walczy Dawid, nieuzbrojony, delikatny, inteligentny młodzieniec. Z tego płynie wniosek, że Bóg każe nam świat zdobywać mądrością, nie siłą. Chorobę należy też pokonywać mądrością, a mądrość to przestrzeganie praw, które obowiązują w naturze. Nie wolno więc rezygnować ani z ziół, ani ze zdrowego pożywienia, bowiem tym samym pozbywamy się dobrowolnie dobrodziejstw, w które wyposażył nas Bóg. Świadomie więc gardzimy Jego dziełem, tym samym coraz bardziej dajemy się uwikłać w sidła tych, którzy kreują świat według ułomnych elementów stworzonych w hermetycznie zamkniętym laboratoryjnym świecie.

Takie kombinowanie jest niestety zgubne i prowadzi do zachwiania mądrych praw natury.

Stąd powrót do zdrowego, mądrego odżywiania, powrót do ziół musi nastąpić i jednocześnie musi nastąpić odwrót od tego wszystkiego, co w zastraszającym tempie niszczy nasze ciało, coraz częściej ducha.
Powrót do normalności jest więc koniecznością, póki jest jeszcze czas, póki ziemia rodzi zdrowe plony, póki słońce świeci i deszcz pada – jest jeszcze szansa na ludzkie, zdrowe życie.

Należy stanąć po stronie Boga i zaświadczać o normalności całym swoim życiem.

A normalność to urokliwe zioła, zdrowe owoce i warzywa, to zdrowe zwierzęta wyhodowane na zdrowej karmie, to zdrowy człowiek, bowiem będzie oddychał zdrowym powietrzem, będzie pił zdrową wodę i będzie spożywał, naturalne pożywienie. Naukowcy więc, póki jeszcze słońce świeci i deszcz pada i ziemia rodzi plony, niech skupią się nad taką koncepcją świata. Niech to uczynią dla Boga, dla ludzi, tym samym dla siebie i swoich rodzin, bo w tym popsutym świecie będą musieli żyć, chorować i cierpieć tak samo jak i zwykli ludzie.
Należy więc wrócić na drogę prostą i uczciwą oraz tak mądrze zadbać o swoje ciało, by zdrowie było na co dzień.

Gdy zaś choroba dopadnie, idealnie byłoby połączyć siły medycyny tabletkowej i naturalnej. Zioła winny być partnerami tabletek.

Tabletki uratują życie, zioła zaś będą od początku budowały zdrowie. Taka winna być mądrość człowieka, taka odpowiedzialność o własny organizm, a także o środowisko, w którym żyje. Wtedy nie tylko człowiek będzie zdrowy, ale również inne istoty, które też Bóg stworzył i pozwolił im tak samo, jak jemu żyć na pięknej Ziemi.

„Jeśli zioła są cudem, to cud się stał"

– „Wytrwać w zdrowiu" Stefanii Korżawskiej

Autorem tytułowego zdania był ojciec autorki, znawca ziół, a wypowiedział je, kiedy udało mu się przywrócić córce zdolność chodzenia, mimo, że medycyna skazała ją na kalectwo. Stefania Korżawska potrafi się odwdzięczyć naturze, przywracając nadzieję tym, którzy już ją utracili.

„Nie jestem lekarzem, nie znam się na chorobach, ale doskonale wiem, w jaki sposób budować zdrowie" – pisze autorka i nie ma w tych słowach przesady, Stefania Korżawska jest bowiem współczesną czarodziejką – zielarką, a przede wszystkim doświadczonym doradcą żywieniowym. Nie dajmy się zmylić. Pod lekkim, przystępnym dla każdego stylem opowieści o ziołach, kryje się rzetelna wiedza i lata doświadczenia w pomaganiu ludziom. Świat Pani Stefanii jest pełen swoistego wdzięku, autorka zaraża swoją pasją i miłością do świata natury, a nade wszystko opowiada historie. Jest to coś, czego każdy z nas w takich książkach poszukuje, interesują nas indywidualne losy. Bogate doświadczenie pracy z ludźmi przekłada się na łatwość snucia opowieści – przypowieści, każda bowiem ilustruje konkretną postawę. Przy tym możemy zaglądać bohaterom do talerza, kubka i spiżarki i śledzić rozwiązania, jakie nakreśliła dla nich autorka. Wiedza, jaką Pani Stefania dysponuje jest wiedzą tradycyjną, ludową, odziedziczoną po rodzicach, przodkach, podaną w kronikach, ale też żyjącą za miedzą, przekazywaną po sąsiedzku, wypróbowaną w niejednym domu.

„Nie jestem przeciwna tabletkom, wszak w wielu przypadkach ratują życie człowiekowi, szczególnie zaś tam, gdzie choroba ma przebieg ostry. Trzeba podać silniejszy środek, który szybko rozbije ognisko chorobowe, ale gdy niebezpieczeństwo minie, należy wtedy mądrze zadbać o swój organizm"- pisze autorka i cierpliwie podaje przepisy na ziółka, nalewki, herbatki i syropki, ale też smakołyki i rosołki, kreśląc, jak sama mówi, „wzory zdrowego życia".

Wytrwać w zdrowiu jest książką, którą warto mieć w domu. Znawczyni ziół i mechanizmów ciała człowieka radzi, jak uporać się z największymi zmorami – chorobami, które stały się wizytówkami naszych czasów. Znajdziemy porady dla cukrzyków, dla cierpiących na ból kręgosłupa, na migreny, miażdżycę, dla chorych na stwardnienie rozsiane. Tu muszę jednak rozczarować wszystkich, poszukujących łatwych rozwiązań i szybko działających przepisów – droga do zdrowia wypełniana jest każdego dnia, tygodniami, miesiącami, latami. Jeśli jednak zdecyduje się na tę drogę wkroczyć, można nie tylko odzyskać siły witalne, zdrowie i urodę. Fascynujące wydaje się być uczucie kontroli nad własnym ciałem, świadomość, że tworzy się siebie na nowo.

„Choroby nie wolno traktować jako Bożego dopustu, bowiem ona najczęściej od nas samych pochodzi. Chińskie powiedzenie powiada «nie kop sobie grobu własnym widelcem»". – tak zaczyna się wycieczka przez świat, w którym człowiek zawsze ma dwa rozwiązania – walczyć o siebie, swoje zdrowie i dobre samopoczucie, sprzymierzając się z naturą albo wybrać wygodę, desperację i chemię. Stefania Korżawska oddaje los człowieka w jego ręce, także tego chorego i zagubionego wśród gabinetów lekarskich.

Książka koresponduje z wszystkimi pozostałymi publikacjami i wypowiedziami Stefanii Korżawskiej. Ich intertekstualność wynika z prostego faktu: opisują one jeden sposób na życie i w tym sensie uzupełniają się wzajemnie. Lektura ucieszy też każdego miłośnika historii i tradycji, dzięki niej możemy przygotować nalewki i winka dawnych władców, hetmanów i królowych, dodające sił i odwagi.
Książki Stefanii Korżawskiej, jak pisze sama autorka, służą studiowaniu. Ich celem jest konkretny człowiek i realne zmiany życiowe. Znajdziemy tu wiele pachnących i smacznych przepisów i w tym sensie są one książkami kucharskimi w starym, dobrym stylu.
Opatrzona paczuszką ziół książka Pani Stefanii wydaje się być także wymarzonym prezentem świątecznym dla ... babci? No cóż, praktycznie dla każdego.

Agnieszka Małyska
portal Netbird.pl

Zdrowym być, to jest sztuka, której trzeba się nauczyć

Stefania Korżawska

Jak ziołolecznictwo wspomaga walkę z chorobami?

Postawiliśmy wszystko na głowie, chorobę traktujemy jako dopust Boży, podczas gdy jest ona wynikiem naszych występków przeciwko własnemu organizmowi. Gdy zaczyna więc nam coś niedomagać, biegniemy szybko do lekarza, by przepisał stosowne tabletki i ufamy, że wręcz w cudowny sposób rozprawią się z naszą dolegliwością. A tabletki to niestety twór sztuczny i tak na jedno pomogą, na drugie zaś zaszkodzą. I praktycznie od tej pory jesteśmy już regularnie do końca życia skazani na kolejki pod drzwiami lekarskich gabinetów.
Tabletki sprawdzają się tam, gdzie choroba ma przebieg ostry, wtedy niejednokrotnie są w stanie uratować życie człowiekowi. I chwała ich twórcom za to.

Natomiast, gdy tylko dolegliwość się zaczyna, wtedy jest najodpowiedniejszy czas, by rozsądnie popracować nad własnym ciałem. Same zioła, to niestety za mało, by powrócić zdrowie. Żeby ci maleńcy pomocnicy zaczęły działać, należy organizm gruntownie do tego przygotować.
Najpierw powinniśmy go oczyścić za pomocą odpowiedniego pożywienia, później zregenerować pożywieniem energetycznym, a gdy stan zdrowia wróci do normy, wtedy należy przejść na zdrowe odżywianie. W tym czasie warto popijać herbatki ziołowe, które wspomogą powrót organizmu do zdrowia. Winniśmy więc budować zdrowie, a w zdrowym ciele nie będzie miejsca dla choroby.

Stwórca powołując nas na Ziemię, zapewnił nam zarówno pożywienie do budowy ciała, jak i zioła do jego regeneracji. I tego się trzymajmy.

Często ludzie pytają, co mogą zrobić, gdy już ich organizm mocno schorowany i od wielu lat biorą całe garście tabletek, które ratują im życie. Też mądrze budować zdrowie – odpowiadam, wtedy damy szansę organizmowi na regenerację i gdy stan zdrowia będzie się poprawiał, lekarz zredukuje lekarstwa.
Kiedyś wymyśliłam takie hasło: „Zdrowym być, to jest sztuka, której trzeba się nauczyć". Niestety w żadnej szkole tego nas nie uczą, a też odcięliśmy się od wiedzy wypracowanej przez naszych przodków, bo nowoczesny styl życia – kolorowy, wesoły, z pozoru szczęśliwy, przypadł nam do gustu. Ale choroby wynikające z takiego stylu, niestety do gustu nikomu nie przypadną, bo cierpienie będzie zawsze cierpieniem.

Jakie zioła, czy ich przetwory zaleciłaby Pani w jesiennym okresie przeziębień?

Żeby chorobotwórcze wirusy nie znalazły drogi do naszego organizmu, należy przede wszystkim organizm rozgrzać za pomocą odpowiedniego pożywienia.

Organizm potrzebuje ciepłego pożywienia, bowiem pracuje dzięki krwi, która musi być ciepła. Zaś pożywienie zimne i surowe utworzy w organizmie wilgoć i śluz, stąd będzie on coraz bardziej osłabiony, zaś w konsekwencji stanie się doskonałym siedliskiem do bytowania chorobotwórczych bakterii, wirusów, grzybów i innych mikroorganizmów. Wtedy najsilniejsze medyczne rozwiązania nie mogą sobie z problemem poradzić.
A do tego zamiast zwykłej herbaty, która skutecznie wychładza organizm, popijać warto rozgrzewające herbatki ziołowe z polskich pól. Polecam cudowną herbatkę z macierzanki lub lipy, kwiatu bzu czarnego. Można wszystkie zioła wymieszać w równych częściach, 3 – 4 łyżki wsypać do czajniczka z sitkiem. Zalać wrzącą wodą, zaparzyć kilka minut i popijać herbatkę bardzo ciepłą w ciągu dnia. Można do niej dodać soku malinowego, z owoców bzu czarnego, porzeczkowego lub z żurawiny. Otrzyma organizm dodatkowe wsparcie w postaci witamin i mikroelementów.

Może też być herbatka z majeranku, majeranek praktycznie jest pod ręką w każdej kuchni. W XVII wieku medycy zgodnie powtarzali, że majeranek to gorąca krew, a przed wojną pani A. Piłsudska polecała herbatkę z majeranku z dodatkiem łyżeczki miodu dzieciom w przedszkolach, by się nie przeziębiały. Tę herbatkę rozpowszechniłam w audycji pana T. Sznuka, cieszyła się ogromnym zainteresowaniem.

Z jakimi najczęstszymi schorzeniami zwracają się do Pani osoby po 50 roku życia? Jak można pomóc w ich dolegliwościach?

Rzeczywistość jest niestety smutna, często ludzie w tym wieku i dużo młodsi zgłaszają się do mnie z licznymi schorzeniami. Kiedyś zrozpaczona kobieta napisała w liście: „O mój Boże, wszystkie choroby mnie dopadły". I tak się najczęściej zdarza, organizmy są niewydolne, przepracowane, mocno wychłodzone nowoczesnym zimnym i surowym pożywieniem. I taki pacjent chodzi od jednego do drugiego lekarza, tabletek ma pół domu, a zdrowia jak nie było, tak nie ma. Często stan zdrowia jeszcze się pogarsza, bo tabletki zaczynają niszczyć wątrobę, a ta już wcześniej niewłaściwie pracowała, dlatego rozliczne zanieczyszczenia zaczęły kumulować się w całym organizmie i tworzyły kolejne choroby.
Stąd ciśnienie niebezpiecznie się podwyższyło, cholesterol i trójglicerydy przekroczyły normę, pojawiły się zaniki pamięci, początki miażdżycy, często żylaki, problem z cukrem, a do tego kolana bolą, staw biodrowy zaczyna niedomagać – i praktycznie nie kojarzymy absolutnie tych chorób ze sposobem naszego życia.
W takim przypadku należy mądrze budować zdrowie.
Nie musimy chorować, od Boga zapewnione mamy zdrowie, a niestety na choroby sami latami ciężko pracujemy.

Rozmawiała Natalia Grunsiok
portal Netbird.pl